U0136812

中國美術全集

中國美術全集

金銀器玻璃器一

全國百佳圖书出版單位
ARTTIME 時代出版
時代出版傳媒股份有限公司
黄山書社

☆ 國家出版基金項目

圖書在版編目（CIP）數據

中國美術全集・金銀器玻璃器 / 金維諾總主編；齊東方卷主編.
—合肥：黄山書社，2010.6

ISBN 978-7-5461-1362-3

I.①中… II.①金… ②齊… III.①美術—作品綜合集—中國—古代
②金銀器（考古）—中國—圖集 ③玻璃器皿—中國—古代—圖集
IV. ①J121 ②K876.432 ③K876.52

中國版本圖書館CIP數據核字（2010）第111984號

中國美術全集・金銀器玻璃器

總 主 編：金維諾　　卷 主 編：齊東方　　責任印製：李曉明
責任編輯：宋啓發　　封面設計：蠹魚閣　　責任校對：汪國梁

出版發行：時代出版傳媒股份有限公司(http://www.press-mart.com)
黄山書社(http://www.hsbook.cn)
(合肥市翡翠路1118號出版傳媒廣場7層　郵編：230071　電話：3533762)

經　　銷：新華書店

印　　刷：北京雅昌彩色印刷有限公司

開本：889×1194　1/16　　印張：33.5　　字數：110千字　　圖片：815幅
版次：2010年12月第1版　　印次：2010年12月第1次印刷
書 號：ISBN 978-7-5461-1362-3　　定價：1200圓（全二册）

《中國美術全集》編纂委員會

《中國美術全集》出版編輯委員會

凡　例

一、編　排

1.本書所選作品範圍爲中國人創作的、反映中國文化的美術品，也收録了少量外國人創作的，在中外文化交流史上具有代表性的美術品，如唐代外來金銀器、清代傳教士郎世寧的繪畫作品等。

2.根據美術品的表現形式和質地，共分爲二十餘類，合爲卷軸畫、殿堂壁畫、墓室壁畫、石窟寺壁畫、畫像石畫像磚、年畫、岩畫版畫、竹木骨牙角雕琺琅器、石窟寺雕塑、宗教雕塑、墓葬及其他雕塑、書法、篆刻、青銅器、陶瓷器、漆器家具、玉器、金銀器玻璃器、紡織品、建築等二十卷，五十册。另有總目録一册。

3.各卷前均有綜述性的序言，使讀者對相應類别美術品的起源、發展、鼎盛和衰落過程有一個較爲全面、宏觀的瞭解。

4.作品按時代先後排列。卷軸畫、書法和篆刻卷中的署名作品，按作者生年先後排列，佚名的一律置于同時期署名作品之後。摹本所放位置隨原作時間。

5.一些作品可以歸屬不同的分類，需要根據其特點、規模等情況有所取捨和側重，一般不重複收録。如雕塑卷中不收録玉器、金銀器、瓷器。當然，青銅器、陶器中有少數作品，歷來被視爲古代雕塑中的精品（如青銅器中的象尊、陶器中的人形罐等），則酌予兼收。

6.爲便于讀者瞭解大型美術品的全貌，墓室壁畫、紡織品等類别中部分作品增加了反映全貌或局部的示意圖。

二、時間問題

7.所選美術品的時間跨度爲新石器時代至公元1911年清王朝滅亡（建築類適當下延）。

8.遼、北宋、西夏、金、南宋等幾個政權的存在時間有相互重叠的情况，排列順序依各政權建國時間的先後。

9.新疆、西藏、雲南等邊疆地區的美術品，不能確知所屬王朝的（如新疆早期石窟寺），以公元紀年表示，可以確知其所屬王朝（如麴氏高昌、回鶻高昌、南詔國、大理國、高句麗、渤海國等）的，則將其列入相應的時間段中。

10.對于存在時間很短的過渡性政權，如新莽、南明、太平天國等，其間産生的作品亦列入相應的時間段中，政權名作爲作品時間注明。

11.某些政權（如先周、蒙古汗國、後金等）建國前的本民族作品，則按時間先後置于所立國作品序列中，如蒙古汗國的美術品放在元朝。

三、圖版説明

12.文字采用規範的繁體字。

13.對所選美術作品一般衹作客觀性的介紹，不作主觀性較强的評述。

14.所介紹内容包括所屬年代、外觀尺寸、形制特徵、内容簡介、現藏地等項，出土的作品儘量注明出土地點。由于資料缺乏或難以考索，部分作品的上述各項無法全部注明，則暫付闕如，以待知者。

四、目録及附録

15.爲了方便讀者查閲，目録與索引合并排印，在每一行中依次提供頁碼、作品名稱、所屬時間、出土發現地/作者、現藏地等信息。

16.爲體現美術作品發展的時空概念，每卷附有時代年表，個别卷附有分布圖，如石窟寺分布圖、墓室壁畫分布圖等。

五、其　他

17.古代地名一般附注對應的當代地名。當代地名的録入，以中華人民共和國國務院批準的2008年底全國縣級以上行政區劃爲依據。

18.古代作者生卒年、籍貫、履歷等情況，或有不同的説法，本書擇善而從，不作考辨。

中國美術全集總目

中國古代金銀器概述

古代金銀器的發現相對其他遺物要少，但在其輝煌燦爛的歷史傳承中，與高貴藝術結下了不解之緣，在人類社會中始終如一地代表着上層社會的文化面貌。遺物的珍貴和所反映的多層面的象徵意義，如同本身的材質一樣，具有永恒的歷史研究價值和不可替代的作用。

金銀的特殊性在于，商人把它看作是價值尺度，藝匠把它作爲精美藝術品的材料，普通的人也都或多或少地與之發生聯繫。金銀器常常超越了器物自身的實用性，由物質領域凸顯于精神層面，影響之深，甚至波及到中國語言詞彙的使用，如形容永不失效的承諾爲“金口玉言”，不可改變的原則稱“金科玉律”，時間寶貴稱“一刻千金”，文章精煉和改文章精彩叫“惜墨如金”、“點石成金”，稱聰明漂亮的男孩是“金童”，出身高貴的女孩爲“金枝”，豪華而腐朽的生活是“紙醉金迷”，人由壞向好的轉變稱作“浪子回頭金不換”等等。不僅如此，金銀還在社會生活中起到奇妙的作用，在古代承載了貨幣、賦税、賞賜、貢奉、贈送、施捨、懸賞、賄賂、賭博等多種功能，從一定意義上説，金銀直接參預了豐富多彩的社會政治、經濟、文化乃至軍事生活，潜移默化地改變着人們的思想意識和行爲方式。

黄金、白銀具有久不變質、易于分割、延展性强的特性。由于金銀材料的這種獨特優勢，人們願意在金銀工藝上傾注熱情和智慧，發揮自己聰明才智和豐富想象，極力創造出精細和靈巧的作品。極其高貴的審美價值使金銀幾乎在每個文化中都處于理想的、完全超經驗主義的神奇境界。

中國古代金銀器大的時代劃分，可分爲早期金銀器（南北朝以前）、隋唐五代、宋以後三個發展時期，每個時期還有階段性變化和區域性特點。

黄金性能穩定，在自然界中多以游離態存在，可以直接獲得。銀在自然界是以化合物形式存在，需要掌握提煉技術，故出現比金要晚。但自然界中銀的儲存量大于黄金，一旦其提煉技術爲人們掌握，銀器就大大地流行起來，用銀的數量遠遠超過黄金。

在古代遺物中，黄金首先是作爲實用器物的裝飾出現在陶器上。河南湯陰龍山文化遺址①出土的含金砂陶片，被推測是有意把金砂摻入陶土内以起到裝飾作用。稍晚一些相當于夏代的甘肅玉門火燒溝遺址②，出土了金環、銀環，是目前中國考古發現最早的金銀首飾，表明早在史前社會，人們已對金銀有了一定的認識和利用。此後，金銀被用于裝飾的現象越來越多。

商代黃金飾物不再稀罕，出土地點也超出了商王朝的勢力範圍。河南鄭州二里崗、安陽殷墟、輝縣市琉璃閣，河北藁城臺西，北京平谷區劉家河，山東益都蘇埠屯，山西保德、石樓蘭家溝及永和下辛角村的商代墓葬，以及四川三星堆遺址、成都金沙村遺址中都出土了金箔、金片、金葉、金絲，這些遺物原本裝飾在其他器物上，也有獨立使用的，如金臂釧、金笄和金耳環等。

屢屢發現的商代實物，足以表明當時人們已經把黃金作爲極其珍貴的物品。安陽大司空村出土的商代金片厚僅0.01±0.001毫米，加工經過退火處理③。四川三星堆祭祀坑的長124、直徑2.3厘米的杖，用純金皮捲製，刻人物、鳥、魚等圖案。成都金沙村的金帶將鳥、魚、箭作爲主要構圖元素。紋飾内容的同一性，反映了金沙村遺址與三星堆遺址具有密切的傳承關係。金沙村的金四鳥繞日飾件有强烈的象徵意義，圍繞太陽旋轉的四隻鳥也許表現了對太陽神的崇拜。金面罩類的人面像在其他地區幾乎不見。兩遺址的金器製作采用了錘鍱、剪切、刻劃等多種手法，是當時金器工藝的代表之作，可知當時的先民對黃金的性能已經熟悉。北京平谷區劉家河商代中期墓葬經過測試的金器，含金在85%，原料也許采集于自然界。

商代的金製品大多發現于大墓中。出土于椁室底部的，或許是棺椁上粘附的裝飾；見于車馬坑和馬坑的，爲車馬的飾品；漆器所飾的金箔，衹是爲了襯映漆器的華美；至于同緑松石一起出土的，應是某些器物上的飾物，還有包金的銅泡。總之是把黃金箔片精心地裝飾在青銅禮器、玉器、漆器和車馬器具上，也用來做首飾及服飾，似乎衹有貴族才能享用。但也有貴族大墓未發現金製品，安陽殷墟發掘的婦好墓④是保存最完整、陪葬品最豐富的王室墓，隨葬品一千九百二十八件，就未見有金製品。殷墟郭家莊160號墓⑤也是一座保存完整的高級貴族墓，隨葬品三百五十三件，同樣未見金製品。而南方成都地區發現的金製品，種類、造型、紋樣遠比中原豐富。不難看出，黃金在剛剛走進人們生活之中時，尚未體現更多的文化意義，也没受到普遍重視。

西周時期繼續用金箔類裝飾器物，不過金片類裝飾趨于大型化。甘肅禮縣大堡子山西周晚期秦人墓的金飾片，按形制和紋樣區分，有重環紋、虎形、鴟梟形、口唇紋鱗形、雲紋圭形、獸面紋盾形、目雲紋竊曲形，這些金飾片可能爲秦仲或莊公内棺上的裝飾⑥。飾片的成型和紋樣采用了高超的錘鍱技術，紋路清晰，凹凸起伏，猶如青銅器鑄造出的紋樣。金虎和鴟梟的口、眼清晰，手法簡潔，形象生動。河南三門峽虢國墓中還見到了圓環形、獸首形、三角形金飾件。這些金器爲澆鑄成型，紋樣精緻，采用了鏤空工藝。

鑄造飾件的出現標志着西周金飾工藝的進步。金腰帶飾的組件是西周金製品中的珍品，多鑄出精細的花紋，可見熔金鑄器業已成熟，形制紋樣和製作技術與青銅器無大區別。這些器件作爲帶飾使用，貴重豪華，是死者身份地位的象徵，佩繫這些黄金鑄造飾件的人應是高級貴族。這種金質帶飾，在以後的朝代中演變成爲等級身份的標志性服飾，沿用了數千年。

春秋戰國時期，人們已經充分意識到黄金不僅色彩絢麗，光亮照人，還有不易生銹和耐久的特性，因此得到較爲廣泛的利用。白銀製造的器物在戰國時期也較多出現，從而使金銀器製造又上一個新的臺階。其標志是，製作較複雜精細器物的能力大大提高，出現了金銀器皿類的大型容器，并與多種工藝相結合，還出現了金銀錯、鎏金等裝飾工藝。

陝西寶鷄益門村2號春秋晚期墓中出土金器一百零四件⑦，主要是兵器、裝飾品及馬具，品種包括帶鈎、帶扣、環、圓泡、方泡、絡飾等裝飾品，劍柄、刀柄等兵器，總重量約3000餘克。帶扣不僅裝飾華麗的紋樣，還采用了透雕式的鑄造工藝。金劍柄更爲精緻，通體爲細密的蟠螭紋，顯示出熔金鑄器十分成熟，有的可能運用當時銅器製作中的失臘法澆鑄。北方地區的内蒙古準格爾旗西溝畔和杭錦旗阿魯柴登等遺址中的金牌飾，運用鑄造、錘鍱、焊接、鏤空技術，出現了具有浮雕、圓雕等藝術效果的器物。

白銀出現略晚于黄金，戰國時期河南扶溝縣古城村的鏟形銀幣、河南省輝縣市固圍村的銀帶鈎、内蒙古杭錦旗阿魯柴登遺址出土的銀飾件是較早器物。稍後還製作出銀匜、銀帶鈎、銀俑燈、銀圓飾等。白銀一登上歷史舞臺，便很快與黄金平分秋色，而且逐漸盛行。

金銀容器的出現是劃時代的標志。湖北隨州戰國時代的曾侯乙墓出土有盞、杯和器蓋，是已知最早的金質器皿。金盞高10.7厘米，口徑15.1厘米，重2150克。這些器皿鑄造成型，形制和製造方法基本與當時的青銅器相同。金的熔點爲1064.43℃，在液態情况下流動性較好，冷凝時間也較長，故澆鑄温度可略低于銅等金屬。曾侯乙墓的金盞形體大，花紋精細而複雜，表明當時具有製作大型器皿的能力。銀製器皿似乎與金製器皿同時出現。山東淄博臨淄西漢齊王墓隨葬坑⑧中出土三件銀盤，一件銀盤口徑37厘米，重1705克，盤口沿底面刻銘采用了三晋布錢的計值單位，可知銀盤爲戰國時代所製，秦滅三晋後銀盤歸秦，漢滅秦後又歸漢，并賜予齊國，故出土于西漢齊王墓的隨葬坑中。

金銀與多種工藝的結合也在春秋戰國時流行。金銀錯是在銅器鑄造時預留的凹槽内鑲嵌金銀絲、片，形成圖案或文字，再經磨錯，與器表光平一致，色彩絢麗，華美异常。這種工藝源于商代銅器上的錯紅銅⑨，平山中山王墓有大量金銀錯銅器。

鎏金工藝也開始興盛，浙江紹興306號戰國初期墓[10]出土的一件“鎏金嵌玉扣飾”，是采用鎏金技術製作的實物之一。鎏金是以金粉末與水銀生成汞劑，塗于銅器或其它器物的表面，待水銀蒸發後，金附于器表。戰國時青銅鎏金十分流行，山西長治分水嶺戰國墓中出土的鎏金銅車馬飾、河南信陽長臺關楚墓出土的鎏金銅帶鈎[11]等，均爲高超的鎏金工藝精品，顯示出戰國時期鎏金工藝已是常用的技術。

戰國時期黄金、白銀也具有價值尺度、流通手段和支付手段，以及貯藏的作用。北方地區常見銅貝包金。黄金、白銀也直接用于製造貨幣，楚國境内使用金幣“郢爰”、“陳爰”。浙江紹興306號戰國初期墓還出土有金餅、小金片，可能是兩種不同形態的貨幣[12]。據《管子·乘馬篇》記載的“黄金一鎰，百乘一宿之盡也。無金則用其絹，季絹三十三制當一鎰　　黄金百鎰爲一篋”[13]，可知黄金與其他物品的比值已出現。

經測試，戰國時期的“郢爰”含金量不等，爲70%–90%。曾侯乙墓出土的黄金製品作過成分的檢測，含金在85.66–92%之間，其他爲銀、銅等。可以看出，自商、西周以來，金銀製品中所含的雜質較多，説明當時冶煉技術還不够精細穩定。

春秋戰國時期金銀器數量比前代增加，與比較充足的原料來源有關。《管子·地數》説：“上有丹沙者，下有黄金。上有慈石者，下有銅金。上有陵石者，下有鉛、錫、赤銅。上有赭者，下有鐵。此山之見榮者也。”“山上有鉛，其下有銀。山上有銀，其下有丹。”[14]表明對各種礦物的地質學知識有了具體認識，金屬礦産埋藏的地貌和共生關係也爲人們有所瞭解。這種有關獲取諸種金屬的記録，是當時人們采礦知識的積纍和利用礦床中礦物的共生組合找礦方法的結晶[15]。《山海經》中提到許多産金、銀的地區，包括今河南、湖北和山西、陝西南部，四川、湖南和江西北部，以及山東和甘肅少量地區。比較明確的重要黄金産地是楚國領地，《韓非子·内儲説》上篇云：“荆南之地，麗水之中生金。”《戰國策》記載楚懷王説：“黄金、珠、璣、犀、象出于楚，寡人無求于晋國。”[16]楚國正是由于擁有天然的資源，率先發展起了黄金器物的製作，還在列國中首先使用了黄金的稱量鑄幣——郢爰、陳爰、盧金等，并由國家控制黄金的生産。楚地多金，在考古發現的春秋戰國文物中體現得十分清楚。

春秋戰國金銀物品增多，顯然不會僅僅依靠從自然界中采集原料，當時已經開始較大規模地開采黄金和白銀礦[17]。金銀器物的社會意義在于新型材料的應用，給人類的物質精神生活帶來新面貌，金銀質地上的可塑性和外觀上的絢麗輝煌，開闊了人們的視野，使富貴身份、顯赫等級地位又有了新的表現形式，使人們利用物質材料來表達精神生活的形式更加豐富。

秦代時間短暫，金銀器使用却較多，特別是車馬裝飾件鑄造得一如銅器，陝西秦始皇陵陪葬坑中出土的1號、2號銅車馬[18]有數百件金銀飾件，工藝精湛。西漢金銀器製造已脱離了模仿青銅工藝的傳統技術，成爲獨立的手工業門類。成熟的掐絲和金粒焊綴及鑲嵌緑松石和水晶等工藝，是當時金銀器製造的重要成就。除了服飾、首飾外，器皿的種類增加，新製造的醫用器具、工具等，進一步擴大了金銀製品在生活中的用途。廣州西漢南越王墓、河北滿城縣西漢劉勝墓、雲南晋寧石寨山西漢墓的金銀器，是西漢時期具有代表性的發現。金銀器皿數量增加，種類增多，有盤、匜、碗、盆、盒和小銀壺等，多爲當時陶、銅器中常見的造型，還有金竈模型、金縷玉衣、銀縷玉衣、金銀印章、金指環、銀指環、銀手鐲、珠串飾、銀頂針、金耳璫等。

漢代關于金、銀礦藏的方位的知識，以及開采方式、冶煉技術、金銀成色掌握、器物製作工藝等方面，都出現新變化。《華陽國志》記載涪縣“孱水出孱山，其源出金銀礦，洗取，火融合之爲金銀”。在河流中淘出的黄金要加熱融合，是對火法煉金的掌握。漢代方士所説的“丹沙可化爲黄金”等，也有用冶煉的方法從礦物中提取黄金和融造合金的意味。隨着黄金冶煉的進步，出現了“金有三等，黄金爲上，白金爲中，赤金爲下”的質量品評，這裏也許是指不同的金屬，但根據實物檢測，在當時用色澤來判定金屬成色的技巧已經被掌握。漢代經測定的馬蹄金等的含金量一般都在95%以上，最高達99.3% 。如果没有較高的冶煉和提純工藝，不可能達到如此高的純度。金銀器製造主要由官府掌控，也有皇親貴戚私家製作。

河北獲鹿西漢墓的銀盤潔白光亮，嶄新程度猶如現代器物，表明當時拋光技術達到很高水平。器物製作中最爲突出的是掐絲和焊綴金珠工藝。掐絲，是將錘打得極薄的金銀片，剪成細條，慢慢扭搓成絲。焊綴金珠，是把小段金絲加熱熔聚成粒，或將金絲端頭加熱熔化滴落成圓珠，焊綴于物品之上。“金縷玉衣”的金絲加工方法可能是拔製，也有用金片剪下的細條擰成，爲合股金絲。

陝西西安市沙坡漢墓出土的金竈模型，四壁、邊緣用金絲和金粒焊綴出紋樣，金絲焊捲出烟囱，竈眼上的釜中堆滿金粒。河北定州市陵頭村東漢中山王劉暢墓出土的龍形金飾片、金辟邪、羊群均爲掐絲作品。金羊群最精巧，它是在鏨有流雲紋的金片上粘接四隻站立的小綿羊，羊身上焊綴金粒和鑲嵌緑松石，綿羊僅長1厘米，高0.8厘米，巧奪天工，精美絶倫，反映了當時對金質材料特性的深刻認識，并能充分利用其延展性能良好的優點，創造出精細複雜的作品。

鎏金工藝的作品在西漢仍舊大量發現，稱“金塗”、“黄塗”。陝西興平縣漢武帝茂陵出土的高62、長76厘米的鎏金銅馬，滿城劉勝墓中鎏金銅器長信宫燈等是這一工藝的代表作品。還出現金銀平脱工藝。“平脱”或稱“平紋”，是在漆器胎體上貼上剪裁成圖案花紋的金銀箔，然後再塗漆填平，打磨表面，露出圖案。金銀平脱所耗用的金銀數量極其有限，藝術效果却精美异常。

漢代金銀器逐漸凌駕于其他材質的器物之上，生産製造也達到了新的境地。當時“金銀爲食器可得不死”這一觀念助長了金銀器皿的生産製造。漢代的喪葬玉衣用金綫、銀綫、銅綫連接起來，必須與死者的身份地位相符，使金銀也成爲身份、地位的標志。

文獻記載中西漢是個著名的多金王朝，西漢皇帝和國家用于賞賜、饋贈、聘禮、儲存、貿易的黄金數量驚人，見于各種用途的黄金數量，竟達二百餘萬斤。西漢大文豪司馬相如以一篇《長門賦》取悦陳皇后，得黄金百斤，是難以置信的數目。這篇賦僅六百三十三字！但這種現象在東漢時期却悄然失去。人們推測，佛教傳入中國後，塑像塗金、泥金寫經耗費掉了大量黄金，或是絲綢之路開通後，用于購買、交换西域珍寶和賞賜外人而外流，也可能是農民起義時，富豪們把黄金埋藏起來，以後失傳，故出現“西漢巨量黄金消失之謎”的歷史疑問。

目前發掘了數萬座漢墓和多處大型遺址，出土的黄金器物數量仍很少。即便是諸侯、列侯厚葬的大墓中隨葬遺物極爲豐富，金銀器也不多。西漢時期製造僞金之風盛行，煉丹方士製造的形形色色的藥金也在社會上流行。或許文獻記載中的西漢巨額黄金未必都是真金，僞金、藥金也被稱之爲金。考古發現提供的研究啓示是，漢代鎏金的銅器甚多，是否也被混同其中呢？但西漢將黄金廣泛用于賞賜、饋贈、聘禮等方面，也體現了對黄金的社會意義和價值的認同。

三國、兩晋、南北朝時期由于戰亂不絶，官府手工業管理經常失控，金銀器製造的專業技藝走進民間，這一現象是漢代没有的，文獻記載禁止私造金銀器之事，顯然涉及了流落民間的工匠。晋葛洪《抱朴子・内篇》專門談論到金銀冶煉之術，雖然不免怪异荒誕，却反映當時對金銀冶煉製作方法的多種探索。有關銀礦品位的認識更加提高，《魏書・食貨志》記載，延昌三年（公元514年）“有司奏長安驪山有銀礦，二石得銀七兩。其年秋，恒州又上言，白登山有銀礦，八石得銀七兩”，已經很清楚礦石含銀量的不同和銀礦之間的差别，這是對礦藏品位的最早記載。采礦和組織方式有了新的發展，南朝劉宋時期始興郡存在采銀專業户，人數很多。還出現黄金與白銀十分明確的换算關係。目前考古發現的三國兩晋南北朝時期的金銀器較少，似乎是中國金銀生産和器物製造、使用的相對低潮時期。一方面是因爲黄金和白銀産量减少，器物製作受到一定限制，另一方面是由于佛教的興盛耗費了大量金銀。雖然金銀器發現不多，但從曹操的《上器物表》、《上雜物疏》中所提到的各種金銀器物的名稱可知，器物的種類應該比漢代增多，已知的考古發現表明，使用金銀首飾、佩飾已成風尚。

北京市西晋幽州刺史王濬妻華芳墓出土的掐絲鑲嵌銀鈴，頂部爲卧獸馱環，銀鈴上半部用掐絲工藝做出手持樂器的八個樂人，每個樂人下懸挂一個小銀鈴。銀鈴上鑲嵌紅、藍寶石，工藝十分複雜。湖南安鄉縣南禪灣西晋劉弘墓和山西省太原北齊婁叡墓的龍紋金帶扣、金飾是用金片壓印、鏤刻成型，金飾工藝更趨于華麗，并與鑲嵌寶石結合。金飾工藝與其他工藝結合，出現了戧金，東吴朱然墓的戧金漆盒蓋，是用真金粉末堆入錐刻或針劃的漆器花紋内，取得光輝耀目畫面的一種髹漆技法。湖北鄂城孫吴初期105號墓的金絲片平貼流雲紋的銀唾壺，是少見的容器。目前較多的發現是在北方地區，遼寧北票北燕馮素弗墓、朝陽王子墳山、朝陽田草溝等出土許多金銀首飾和服飾，大都是用錘鍱、鏤刻、鉚釘、鑲嵌技法製成。内蒙古科爾沁左旗、達茂旗出土的鑄造的怪獸、錘鍱的步摇飾件等，形態奇特生動，這些器物都具有濃厚的鮮卑文化的特徵。

南北朝時期發現的金銀器有一個特點，就是中國以西的國家各地區輸入品較多。儘管在漢代已發現如西漢南越王墓出土的銀盒、山東淄博市西漢齊王墓隨葬坑出土的銀盒等外來器物，但南北朝時期外國輸入的器物明顯增多，主要有山西大同北魏封和突墓的銀盤、北魏墓的銀碗、北魏城址的銀長杯和銀碗，寧夏固原北周李賢墓的鎏金銀壺，廣東遂溪縣南朝窖藏的銀碗，這些都是來自西亞或中亞的遺物。出土地點表明這些銀器是經海上和陸上兩種途徑輸入的。西亞、中亞等地的銀器極少有明確紀年，可以肯定出土地點的也不多。中國這批器物出于墓葬、遺址、窖藏中，據墓志記載或遺址、窖藏中的環境及伴出遺物來研判，許多器物的存世年代的下限十分清楚，這對于研究西方銀器也是重要發現。這些外來器物均采用錘鍱技術製作，器表多形成浮雕式的紋樣，其技術爲中國金銀器的發展注入了新的活力。

隋唐五代，金銀器製作發生深刻改變，在世界各種文化中獨樹一幟。隋代重要的發現在李静訓墓中[19]，有金高足杯、銀高足杯、銀碗、銀盒、銀盤、銀勺、銀筷和金項鏈、金手鐲、金指套等。其中金、銀高足杯的形制不是中國傳統器物的造型，即便不是外來物品，也是仿造品。金項鏈和金手鐲可能是西亞或中亞輸入的産品。唐代的陝西西安何家村、江蘇丹徒丁卯橋、陝西扶風法門寺有三次成批的大發現，此外，西安和平門外唐代居住址、陝西銅川市耀州區柳林背陰村窖藏、西安沙坡村唐代居住址、内蒙古喀喇沁旗哈達溝門窖藏也是較重要的發現。五代十國時期，吴越國的金銀器發現較多，浙江臨安板橋吴越墓中隨葬銀盂、盤、壺、大碗、盒、小盌、匙、箸等十七件[20]。雷峰塔地宫的金銀器[21]有銀臂釧、銀腰帶、鎏金鏤空銀墊、鎏金銀盒、銀阿育王塔、塔内藏金棺、圓形鏤空銀飾件、鴛鴦紋銀飾，這些金銀器多采用錘鍱、鏤空、鏨刻、焊接、鎏金等工藝製作而成。四川成都前蜀王建永陵也出土了金銀器。五代十國實物資料并不豐富，從風格上來説應與晚唐有承繼關係。

唐代金銀器數量大增，其原由主要是：一，金銀礦的廣泛開采提供了充足的原料。二，中央、地方甚至私人作坊齊頭并進，産生大批優秀的工匠，特别是官府作坊集中了各地能工巧匠，并有嚴格的生産管理監督機制，使器物製作日益精良。三，試圖邀功取寵的大臣也利用體積輕巧、價格昂貴的金銀器作爲進奉物，目前所見帶文字刻銘的器物多是地方官進奉到皇室或中央政府的。皇室貴族的喜愛促進了金銀器的生産，助長了地方官員進奉之風的盛行。四，西方銀器繼續向中國輸入，内蒙古李家營子、西安沙坡村、西安何家村等遺迹都發現有西方，特别是粟特遺物或仿製品。“絲綢之路”傳入的外來文化孕育出了突破傳統的新機遇，外來器物的涌入給金銀器的生産帶來了新的工藝、形制、裝飾風格，因此中國金銀器發展史上出現了重大變革，開創了中國金銀器的嶄新風貌。

隋唐五代的金銀器可分爲八世紀中葉以前、八世紀中葉至八世紀末、九世紀至十世紀中葉三個發展演變時期。

八世紀中葉以前是飛速發展階段。這個階段的主要器類有：高足杯、帶把杯、分曲在五曲以上的多曲長杯和折腹碗，蛤形盒也常見，還有壺、鍋、鐺、瓶等。其中高足杯、帶把杯、多曲長杯等器物在中國傳統器形中不見。盤、盒類的器物以圓形爲主，也有一些呈菱花形，少量爲葵花形。壺類多帶三足。紋樣盛行忍冬紋、纏枝紋、葡萄紋、聯珠紋、繩索紋邊。花紋纖細茂密，多用滿地裝飾的手法。流行珍珠地紋，即在器物表面用圓鏨刀鏨出細密的小圓圈，排列整齊，作爲主題紋樣的底襯。還流行寶相花、捲雲紋、雲曲紋等，這類紋樣多與器物的形制有關，即紋樣的樣式與器體造型相適應，寶相花一般裝飾在圓形器物如盒、碗、盤等上，捲雲紋和雲曲紋多作爲邊飾使用。器物的體積小，但比較厚重。絶大多數器物采用錘鍱技術製成，器表先錘出凸凹變化的紋樣輪廓，再鏨刻紋樣，紋樣鏨痕粗深，清晰而連續。許多銀器通體鎏金。

八世紀中葉至八世紀末是唐代金銀器製造的成熟階段，基本擺脱了外來文化的直接影響，完成了金銀器的中國化進程。這個階段高足杯、帶把杯及五曲以上的多曲長杯極少見到。新出現了各式壺，流行葵花形的盤、盒，器皿的平面多作四五曲花形。忍冬紋、葡萄紋、三角紋、繩索紋、捲雲紋、雲曲紋基本消失，寶相花紋仍可以見到，折枝紋、團花紋興起。紋樣更爲寫實，分單元布局，留出較多的空白，顯得疏朗大方。少數器物上雖然尚殘留與西方金銀器相似的地方，但不是直接來自西方金銀器的影響，繼承的是前期器物的特點，并有所發展。器物的形制和紋樣多是既不見于西方器物、也少見于中國傳統器物的創新作品。

九世紀是金銀器製造多樣化階段。這一階段器物種類大增，目前所知唐代金銀器中的茶具、香寶子、羹碗子、波羅子、蒲藍、温器、籌筒、龜盒、支架等器類均屬這一時期的産品。唐代自始至終都有的碗、盒、盤的形制發生了大的變化，流行花口淺腹斜壁碗、四五曲花形帶足的盒、葵花形的盤等。折枝紋、團花紋繼續流行，并更加豐富多采。折枝紋種類繁多，并以闊葉大花爲特點。鴛鴦、鸚鵡、鴻雁、雙魚等成爲人們喜愛的動物題材，出現荷葉、綬帶紋，葉瓣紋、小花紋、半花紋爲主要邊飾紋樣。紋樣風格自由隨意，具有濃厚的民間生活氣息。珍珠地小而淺，也比較稀疏。雖然大型器物較多，但有些器物較輕薄粗糙。鏨刻的紋樣輕淺斷續。刻銘器物增多。

在金銀製作工藝取得的卓越成就中，錘鍱、鏨刻技術的成熟和廣泛利用是重要特徵。錘鍱技術是利用金銀板片質地較柔軟的特點，通過錘擊按設計延展，形成需要的形狀。一些形體簡單、較淺的器皿可以直接錘製出來。較複雜的器物分别錘製，再焊接成器，器皿中的碗、盤、碟、杯等大多采用這種方法製造。錘鍱技術還用以製作裝飾花紋，如何家村的蓮瓣紋弧腹金碗，先錘製出器物的基本形態，然後由内向外錘出雙層蓮瓣紋輪廓，蓮瓣由碗内壁向外壁微微突出，形成内凹外凸的效果，再在外凸的蓮瓣輪廓上鏨刻花紋。有時錘製時按底模成型，使紋樣更爲準確。錘鍱技術使金銀器皿擺脱了平板單調的表現形式，形制更爲隨意，紋樣形成了浮雕風格。鏨刻是在器物成型之後的進一步加工技術，多用于花紋的製作。在金銀器製作有了錘鍱技術後，鏨刻一直作爲細部加工手段而使用在器物的表面刻劃上。唐代金銀器上流行的珍珠地紋是在器物表面用圓鏨刀鏨出細密的小圓圈，使器表面更爲斑斕，以反映光芒四射的質感。還有一種特殊的鏨刻稱爲鏤空，即鏨刻成透孔的紋樣，也稱爲透雕，唐代的銀香囊就是以這種工藝製成的。香囊的用途爲熏香，需要將香氣散發出來，便將外壁設計的花紋中不需要的部分去掉。

鎏金銀器的真正興盛也是在唐代，當時叫作“金塗”，或稱“金花”、“鍍金”、“金鍍”。掐絲、焊綴金銀珠、鑲嵌工藝在隋唐五代繼續流行，而且製作更加精美。李静訓墓出土的鬧額釵，何家村的團花紋帶把金杯，在光滑的表面上，焊綴以金絲構成的花朵，紋樣突出于器表，富有立體感，在金絲構成的花朵邊緣再焊細密排列的金珠，花朵中原來鑲嵌着寶石、珍珠等。掐絲編織器物有玲瓏剔透之美，法門寺金銀絲籠是用細細的金絲編織而成，爲唐代掐絲、金銀織工藝的精品。唐代金銀器製作也采用了鉚接、焊接、切削等工藝。

唐代後期金銀器的南、北方風格基本形成。北方金銀器產品在陝西扶風法門寺地宮中大量存在，其中最主要的是刻有皇室作坊“文思院”字樣的銀鹽臺、銀茶碾子、銀茶羅子、五足銀爐、銀如意、銀手爐、素面圜底金碗、銀錫杖等。還有陝西藍田楊家溝出土的雙鳳紋花瓣形銀盒，陝西西安未央區魚化寨南二府莊出土宣徽酒坊銀注壺，陝西銅川市耀州區柳林背陰村出土的宣徽酒坊蓮瓣紋弧腹銀碗，這些器物分別刻有“內園供奉”、“宣徽酒”等銘文。

江蘇鎮江丹徒丁卯橋出土的九百五十餘件銀器、浙江長興縣下莘橋出土的一百餘件銀器、浙江臨安水邱氏墓出土的三十八件銀器，是目前南方地區主要的三批遺物。南方曲瓣器形的器物分曲十分醒目，如丁卯橋的素面多曲銀碗、素面菱花形銀盤、雙瓣葵花銀茶托、葵花形銀茶托[22]，刻意强調器物的弧曲變化，使口沿凸凹突出，整體造型如盛開的花朵。北方產品中的曲瓣却比較含蓄，如法門寺的折枝紋葵花形銀盤，雖然也都是五曲瓣形，但分瓣處衹是微微內凹，整體感覺仍是圓形。兩者之間的微妙區别，能從大量器物的比較中感受出來。

南方地區金銀器種類豐富，水邱氏墓出土的銀温器、纏枝紋銀豆、四足銀爐和丁卯橋龜形銀籌筒等均不見于北方地區，而杯、碗等常見器類則明顯地在形制上豐富多樣，有些碗或杯類的器物，圈足較高，顯得十分粗壯[23]。大型帶圈足的盒似乎主要爲南方地區製作。南方對動物造型追求逼真的效果，丁卯橋的龜形銀籌筒做成十分寫實的龜形座，極爲生動。北方地區的陝西法門寺的龜形銀盒、山西繁峙的龜形銀盒，雖然也是寫實的龜形器，造型却比較呆板，細部裝飾圖案化傾向很濃。歷代南方器物的動物造型和圖像所表現的真實感幾乎要掩蓋過器物本身的形式，顯示出地方藝術特色的相對獨立性及南、北傳統習俗和藝術品味上的不同。中晚唐時北方地區金銀器的紋樣布置時常留出一些空白，而南方地區滿地裝飾的做法仍然盛行，如丁卯橋的鸚鵡紋圓形銀盒、鸚鵡紋花瓣形銀盒、鳳紋花瓣形銀盒，均爲通體裝飾、鎏金的豪華作品。紋樣種類的多樣化和世俗化是南方金銀器的總體風貌，較少受宗教藝術的影響，蓮花、摩羯紋遠不如北方盛行，民間喜聞樂見的題材如鴛鴦、鳳鳥、鸚鵡較爲流行，具有濃郁的生活氣息和世俗情趣。

遼代金銀器，包括契丹民族器物和直承唐代風格的器物，以及在契丹金銀器基礎上，吸收消化周邊各民族文化，發展出具有特色的金銀器。這三種類型常常與器類有密切的聯繫。這些器物是瞭解契丹文化面貌的珍貴實物，由于與中原文化的交流、融合，很大程度也代表了這一時期中國金銀器的整體面貌，彌補了唐宋之間的發展變化脉絡不清的缺環。

遼代金銀器主要發現在等級規格很高的皇室貴族墓葬中。內蒙古阿魯科爾沁旗葬于會同五年（公元942年）的耶律羽之墓[24]發現金銀器數十件，以生活器皿爲大宗，還有金銀飾品。赤峰市大營子葬于穆宗應曆九年（公元959年）的贈衛國王駙馬墓[25]共出土有金器三十一件、銀器一百四十七件。通遼市奈曼旗葬于聖宗開泰七年（公元1018年）的陳國公主駙馬合葬墓[26]出土各種金銀器五十餘件。還有隨葬金銀器豐富的吐爾基山墓葬。此外，河北易縣净覺寺舍利塔地宫、遼寧朝陽北塔天宫、内蒙古巴林右旗慶州白塔、北京房山北鄭村遼塔等有紀年的佛教遺迹中也出土了金銀器。

富于民族特色的金銀器主要有飾品、馬具和殮葬用具。飾品以耳墜、戒指、手鐲爲常見組合，多爲金質，而且男性亦戴耳飾和戒指等。手鐲中間寬扁，兩端多塑小獸頭，耳飾大多飾聯珠紋、龍紋、鳳紋、摩羯紋等，項飾有管形飾、金銀絲球、管形墜、葫蘆形墜等。這些首飾有時也與銅、玉、琥珀及瑪瑙製品等相結合。陳國公主駙馬合葬墓中還有比較獨特的八曲葵花形鳥紋金盒、纏枝忍冬紋鏤空金香囊、忍冬捲草紋金針筒等。遼代還有便于配挂携帶的帶鏈器物，如蹀躞帶及帶上的佩挂，有刀、錐、荷包、針筒和雙魚形佩以及葫蘆形吊扣等。這些器物按游牧民族的生活習慣設計，具有濃厚的契丹民族風格，應是出自當地工匠之手。

極爲華麗的馬具是契丹金銀器中非常獨特的一個器類，包括鞍具，還有轡具、當盧、鈴以及各種部件，在墓葬中男女都有隨葬。内蒙古奈曼旗陳國公主駙馬合葬墓屬于遼中期墓，出土的鎏金鳳紋銀鞍飾、鎏金雀繞花枝紋銀鞍飾和彩繪雲鳳紋銀障泥，是此類器具的代表。

金銀葬具反映了契丹貴族獨特的葬俗，包括面具、尸體網絡、靴或靴底。死者身份越高，所用斂具質地越好。面具按死者的相貌特徵用金屬片錘鍱而成，邊緣留有若干小孔以供穿縛。耳垂有孔，用以佩挂。此類器具多出土于遼中京和上京東南地區的大中型墓葬中。陳國公主駙馬合葬墓金銀殮葬用具有鎏金銀枕、金面具、金銀冠、鎏金銀靴和尸體銀絲網絡。

遼代器皿最具鮮明民族特色的物品是仿皮囊壺的鷄冠壺和一些折肩的杯、壺、罐，早期器物上的紋飾直接源于草原民族文化，如鹿紋、神馬紋和鷹紋都是北方草原民族喜愛的裝飾題材。如赤峰城子窖藏[27]鷄冠形銀壺，壺身主題花紋以雙重的花瓣、聯珠紋構成菱形框，内以魚子紋爲地飾卧鹿，襯山石花草。鎏金摩羯紋銀提梁壺蓋飾荷葉紋，蓋沿和壺頸飾花瓣和聯珠紋，腹壁爲龍首魚身的摩羯，仰視火焰珠。河北易縣净覺寺舍利塔地宫出土十一件金銀器，包括金瓶、鎏金銀器蓋、銀塔、雙鳳紋銀盒、銀碗、銀盞托、長柄銀香爐、銀鉢、銀匕、銀箸和銀器座。這些供奉、禮佛物品都比較矮小，紋飾相似，可能專爲地宫中供奉而一次製造的。

阿魯科爾沁旗耶律羽之墓出土的金銀器有産自中原的和當地製造的兩類。花口金杯、鎏金銀盒、五曲銀盤和銀唾壺等，與唐代以來中原地區的器皿相似，或直接來自中原，或是中原工匠在契丹地區製作的器物。鎏金折肩銀罐、鎏金帶把杯，原型應是粟特或唐代的八棱帶把杯，但耶律羽之墓的多棱帶把杯爲七棱，而且不是環狀把手，衹是在指墊下有一個小鋬，這是契丹人的創新，折棱處的聯珠紋更爲突出，高士圖是中原傳統文化的圖案。

遼代晚期契丹貴族日常生活中的金銀器皿發生了較大變化，在消化融會這些多元的外來因素的同時，也在工藝、器形和紋樣各方面創造出了自己的特色。總體上素面器多器壁薄，有些做工相對粗糙。較多的植物類肖形器皿，紋飾與造型結合，取材于荷花、蓮葉和柳斗等，富立體感。有些器物有濃重的宋代造型藝術風格，八棱體器物和遼中晚期興起的海棠形長盤也爲宋遼所共有的器形。巴林右旗窖藏[28]八棱銀執壺和温碗、海棠形銀盤、柳斗形銀碗、五曲銀碗、二十五曲銀碗、八棱銀碗等銀器，飾有折枝牡丹、雙魚、團花、荷葉、蓮瓣等，器形、紋樣、工藝明顯帶有宋代金銀器的影響。但晚唐、宋的繁複華麗逐漸變得簡樸疏朗，形成獨特的風格。

金代是以女真族爲主體建立的王朝，金銀器製作風格與宋代相近。河北固安于沿村寶嚴寺塔基地宫[29]出土的金銀器是比較精美的一批，有供養器、法器、生活用具，其中鎏金銀舍利櫃是難得的珍品。地宫内還出土鎏金銀舍利盒、金銀菩薩立像、鎏金銀幡帶飾、鎏金銀法輪飾件、銀寶花飾、銀金剛杵飾件、銀箸、銀長注净瓶、銀鎖、鎏金圓環、刻有“呈舍利”“雄州主救王造”帶蓋小銀罐、金鉢、銀熏爐等，這些器物與宋代銀器相似，比遼銀器更有纖巧之意。黑龍江畔綏濱中興的金代墓群[30]出土了諸多金帽頂、金腰帶、“上京香家”款金器、銀製龍紋馬鞍橋、銀骨朵、銀爐、銀盤、銀盞、金列碟等。北京通州區大定十七年金墓的銀簪、鑲寶石金墜飾、金箔片，吉林扶餘縣的玉帶上的金扣，黑龍江哈爾濱市阿城區金上京故城内六曲葵瓣式碗、六曲葵瓣式杯、酒盞、如意紋盤、龍頭銜香爐、八瓣葵花式龍紋器蓋、扁圓形淺盤等，爲其代表性物品，其中兩件器物有龍紋，可能爲金朝皇帝用物。

西夏是以党項族爲主體建立的王朝。目前銀川以西賀蘭山東麓西夏陵區中的八號帝陵中出土有金帶飾、花瓣形鏤空金飾、金扣邊、金鞍飾、鑲嵌緑松石鎏金銀飾、鎏金獸面形銀飾、銀片飾、圓形帶釘銀片飾等，金帶飾正面爲高浮雕式凸起的葡萄紋，鎏金銀飾作花朵形，花芯鑲嵌緑松石。内蒙古巴彦淖爾市臨河區高油房出土的西夏金器有金佛、蓮花形金盞托、鳳凰紋金碗、金指剔、鏤空人物紋金耳墜、金環、桃形飾、弧形飾片等。寧夏靈武市横山黄河的古渡口發現一批西夏銀器[31]，有碗、盒、髮釵等。銀盒的造型特殊，兩側有軸環可開合，銀碗或侈口、直壁、平底，或直口、淺曲腹、小平底。樣式簡潔新穎，主要是當地傳統融合其他文化產生的异樣風格。墨書有標示重量的西夏文字，還有的壓印凸起的梵文銘文，蓮瓣狀銀碗底殘片刻漢文和西夏文。

宋代金銀器向兩個相反的方向發展，一是更加華麗、精細，一是趨于素樸、簡潔。前者傳承、發展了前代工藝成就，後者源于器物的商品化，而兩者共同反映出金銀器產品適應了社會不同階層的需求。宋代金銀器總體特徵：一是地方及私人作坊成爲生產的主流；二是金銀器的使用商品化和民衆化的傾向很濃；三是產品上常見製作者或擁有者的刻銘；四是專門用于觀賞的藝術作品增多。

宋代發現的許多金銀器出自窖藏，多是遇戰亂等突發事件時作爲財寶埋藏起來的，比較重要的有福建邵武故縣窖藏中出土的一百四十餘件、江蘇溧陽市平橋窖藏中出土的三十六件、浙江永嘉縣窖藏中出土的五十餘件、江西樂安縣窖藏中出土的一百件，另外，四川彭州窖藏僅器皿就達三百餘件，山東莒南縣窖藏出土的二十二件。庶民墓葬中金銀器也有出土，不再局限于皇室和高級貴族墓中。富庶人家日常生活中，金銀器也較常見。

宋代金銀器的造型極富變化，普通的盞（或稱杯、碗）、碟、盤、盒、瓶各有不同的樣式。如盞類器物除了圓形，還有四曲、五曲、六曲、八曲、十曲、十二曲，甚至更多的形態。許多器皿直接取材于自然界的梅花、菊花、葵花、蓮花的形狀。花瓣形狀使器壁形成凸凹起伏，口沿因花瓣形狀又呈高低變化，這種形制寫實性很强，又非是程式化的花朵。還有特殊的仿生形器物，如彭州窖藏的瓜形金碗，呈五瓣，好似切開的半個瓜，頂端有外鼓的瓜臍，尾部是瓜蒂，由蕚和藤蔓扭成器柄。另一件瓜棱銀壺，器身完全像是一個十二瓣的瓜。還有十曲荷葉紋銀盤、樹葉形器蓋等也是仿生造型的絶佳實例。平武窖藏的梅花杯，盞把猶如一枝蒼老粗壯的枝幹，四根較細的枝杈與梅花形器體的口沿和腹部連接，自然地融入盞體，成爲盞壁上所刻梅花的枝梢，紋樣與器形渾然天成、精巧别致，整體是一枝盛開的梅花。這些器皿構思巧妙，可以使用，却强調觀賞。

宋代金銀器紋樣與唐代最大的不同是寫實紋樣的興起。花卉的種類十分明確，有牡丹、菊花、荷花、桂花、梅花、桃花，其他紋樣有瑞果、魚藻、牡丹、童子戲球等。與宋代其他藝術一樣，“圖必有意，意必吉祥”，通過象徵、寓意、比擬、諧音等手段表達思想含義，折射出人們觀念的變化。牡丹象徵富貴，蓮花象徵純潔，桃子象徵長壽，梅蘭竹菊象徵君子，魚象徵富裕，雙鳳、對鳥、獅子戲球、牡丹、童子戲球、如意、瑞果等，充滿祥和的氣息。有些花鳥蟲獸組合直接與福、禄、壽、禧等觀念相聯繫，草蟲花卉成爲具有特定含義的藝術符號，希望通過形式象徵來寄托某種思想，形成一種新的文化韵味，這是中國民俗藝術史上新現象。

金銀器製作中的鑄造、鏤空、切削、焊接、鏨刻、錘鍱等技術，早在唐代已經成熟，宋代的進步之處在于將這些技術發揮到了幾乎是極致。以錘鍱技法表現高浮雕效果的器物較多，紋様與器形結合構造出奇巧的器類，器皿中出現夾層工藝，仿古或復古風格的器物流行。

錘鍱技法在用于器物的造型時，出現極具特色的重瓣累疊方法，使器物如同雕塑。江蘇溧陽市平橋出土的各種銀盞，整體如花形，盞心有一層或多層花瓣，福建邵武故縣、四川彭州出土的有些銀器也采用這種重瓣做法，以花瓣層層排列或疊壓，既是表現紋様，又形成器物的形態，做法別具一格。仿古器物或復古風格的器物是宋代器物的又一重要現象。仿古作品通常是模仿先秦時期青銅禮器，很多器物上有雲紋、雷紋、回紋、饕餮紋、夔紋、蟬紋、乳釘，顯然在追求青銅禮器意味，古色古香。這和社會上的復古思潮有關，因此不獨出現在金銀器上，瓷器、銅器中也很流行。高浮雕是北宋以後、特別是南宋時期頗具特色的裝飾技法，江蘇溧陽市平橋的瑞果圖鎏金銀盤、獅子戲球圖鎏金銀盤和福建邵武故縣的鎏金八角杯、鎏金八角盤都是這種高浮雕裝飾技法的代表作。夾層工藝是宋代的新創造，福建邵武故縣的鎏金八角碗，江蘇溧陽平橋的乳釘紋鎏金銀盞、雙獸耳乳釘紋鎏金銀盞都是有内、外壁的夾層器物。

宋代金銀器刻銘大量出現。彭州窖藏近三百五十件器物中，可辨器形的有三百四十三件，其中有銘記的二百五十多件，約占70%，共有銘記四百八十款。刻銘表明它們來自民間作坊，文字内容有製造地點、店鋪字號、工匠名字、所有者名字，還有器物名款、重量和質地成色的説明等。金銀器的商品化和民間作坊的發展，使刻銘出現了宣傳、廣告類的語言，反映出店鋪及工匠對產品的質量和技術充滿自信以及對客户的承諾，這是私營作坊和個體工匠發展成熟的標志。

由于商品化生產追求多快好省，儘量用最少的原料、最短的工時，獲取最大利潤，所以宋代金銀器總體上呈現輕薄的特徵。批量生產方式也使器物大量重複，模式化的器物、成套的器物紛紛出現。出土于各地的小口銀瓶、心形金銀霞帔墜子、銀絲盒等，十分相像。江西樂安縣南宋窖藏一百多件銀器中有雙魚盤三十八件、匙二十二件、箸二十三雙、杯二十件，表明金銀製造行業的某些產品已有固定様式。宋代金銀器豐富多彩，與宋人崇尚排場，生活講究精細有關，北宋首都汴梁、南宋首都杭州酒樓伎館備有難以計數的銀酒器，器具也追逐“奇巧可愛”。

宋代金銀梳妝首飾用品興盛，成套的妝奩用具大增，安徽六安市花石咀2號墓[32]出土的銀奩，裏面盛裝着銀製的粉盒、胭脂碟、粉缸、胭脂罐、粉盂以及銀蝶形飾、銀獅形佩飾和金釵等，整套的梳妝用品也反映了梳妝的講究和過程的複雜。金銀梳妝用具經常在普通的墓葬中發現或在窖藏中大量出土，説明更爲廣泛的民衆生活發生了變化。

金銀器物的造型紋樣儘管總體上可概括爲民間格調濃厚，但依然可以分出不同的類别，迎合各階層人士的情趣需求，通俗與高雅并存。宋代士大夫的審美理想影響了部分民間高檔産品，詩情畫意的場景、閑情雅致的味道經常作爲圖像裝飾在器物上，有時還題有詩句，融詩書畫爲一體，甚至著名的文學作品如《前赤壁賦》等故事場景，也在銀器上出現。宋人把梅花看成是高潔品格的化身，出現各式梅花造型和紋樣，使器物在使用過程中就有精神享受和陶冶情操的功能，這些賦予深刻的文化内涵、文人格調的器物不見于唐代及以前的器物中。

元代金銀器存在着南北差异，北方地區的金銀器簡潔、實用，帶有明顯的草原民族特點，南方金銀器細膩、精美，承襲了南宋風格。北方發現的十幾批金銀器[33]中，馬具、帶具最具特點，内蒙古鑲黄旗烏蘭溝墓中[34]的卧鹿紋金馬鞍飾，前鞍橋錘鍱出精緻的圖案，八曲海棠形邊框内半浮雕大角卧鹿，前後飾以花草，邊框外飾纏枝牡丹，邊飾櫛齒紋、蓮瓣紋和草葉紋。帶具上有人格化的神鷹、龍紋、鴛鴦、獅子銜綬紋，游牧生活的氣息仍舊很濃。

器皿的種類較少，興和縣五股泉鄉五甲地墓葬[35]中的高足杯和鋬耳杯同出，也是北方相對多見的器類，似乎與游牧民族善飲奶、酒、茶的生活習俗關係密切。敖漢旗新窩鋪鄉盛家窩鋪村窖藏[36]有龍紋杯，杯沿下鏨刻捲草紋，内底鏨刻牡丹花，焊接的柄刻靈芝紋，體現較爲獨特的風格。

北方金銀製品中首飾多見，敖漢旗南塔鄉三家村窖藏在銅玉壺春瓶裏裝着各種金銀簪釵，太吉合窑窖藏裝在緑釉黑花瓷罐裏的首飾有三十餘件。元上都城南砧子山墓地[37]30號墓不僅有金耳墜和銀簪、銀釵、銀耳墜，還有便于游牧生活的獨特的銀佩飾，銀絲編成的鏈條連接着五條小鏈，下端分别懸挂着微型飾物，包括銀玉壺春瓶、蓋罐、盒和銅剪、鑷各一件。

南方地區的安徽六安市的夫婦合葬墓[38]、蘇州市延祐二年（公元1315年）吕師孟墓[39]、延祐七年（公元1320年）無錫錢裕墓[40]、至正二十五年（公元1365年）蘇州張士誠母曹氏墓[41]都隨葬大量金銀器。窖藏金銀器的發現主要有臨澧窖藏和合肥窖藏。

南方的器形比北方豐富得多，有盤、杯與盞托、鉢、把杯、帶流杯、盆、罐、唾盂、碗、盒、盂、尊、瓶，還有筷、匙、匕、勺等。

器皿的造型和裝飾承繼着南宋的風尚，瓜棱形、桃形、多曲花瓣形以及仿古造型較多。摹仿佳花瑞果造型的器物更加逼真。吕師孟墓中的金盤采用如意花瓣組成菱花造型，滿盤鏨飾牡丹、月季、石榴、蓮花、菊花等十六朵形態各异的花朵，連綿蜿蜒的纏枝葉蔓又將各個花朵連接起來。元代南方金銀器的有些器物裝飾并無實用功能，如益陽關王村窖藏的鎏金瓜形銀杯側邊以鏤空的如意爲把，鎏金圓杯以飛龍爲把，臨灃新合窖藏的瓜形金杯以瓜葉上托一小瓜作環把，瓜形銀杯以三片瓜葉附以彎曲的瓜藤作環把。這類把幾乎不能受力承重，追求的是賞心悦目，主要用于陳設觀賞。器壁夾層、紋樣高浮雕的技法到元代更加精湛，吕師孟墓的金飾，錘出高浮雕的纏枝花果，細部又經精心雕鏤，極富立體感。文王訪賢、桂花樹、玉兔搗藥等内容可能取材于元代戲曲中流行的故事。同墓出土的銀盂、扁盒、圓盒、柿形水盂、尊、勺等應是一套少見的文房用具。

金壇窖藏裏的銀盤口沿刻一周回紋，盤内底中間錘出八瓣仰蓮，花芯和蓮瓣内壓印梵文，蓮花周圍飾以法器降魔杵，具有濃厚的宗教氣氛和神秘色彩。銀盤的外底刻阿拉伯文回曆紀年銘文，是回年“714年1月”（公元1314年）的紀年。此外，臨澧窖藏的銀條脱上也刻有阿拉伯文銘記，屬于時代特徵突出的器物。

與宋代相比，元代的梳妝用具出土較多，似乎比宋代更加精美完備，具有很高的藝術性和觀賞價值。江蘇蘇州張士誠母曹氏墓葬中曹氏頭戴金冠，髮插金釵、金簪，耳垂嵌寶石金耳環，腕戴金鐲，手握金片。還出土成套的梳妝用具，六瓣葵花式的大銀奩分三層，内盛銀鏡、銀粉盒、銀梳、銀篦、銀叉、銀匕、銀柄刷、銀水罐、銀剪刀、銀碟等，爲罕見的考古發現。曹氏墓的銀鏡架由前後兩個支架交叉組成，既可立放，又能折合，機關設計新奇，美觀實用，是元代銀器工藝的代表作。江蘇無錫市無官職的錢裕夫婦墓也出土了金銀首飾，説明金銀已是當時富貴之家常見的婦人裝飾品。

江蘇金壇窖藏出土五十餘件銀器，銘文至少提及十位銀匠、鋪號，還有“花銀”、“十分銀”等白銀成色的印記。安徽合肥市窖藏出土元代金銀器一百零二件，大部分器皿上分别刻有“章仲英造”、“至順癸酉”和“廬州丁鋪”等字樣。錢裕墓的金器無論出自“鄧萬四郎”，還是由“陳鋪造”，都特别表明成色爲“十分赤金”。根據這些銘文，可知金銀器製造多來自民間，可確認一些名不見史傳、却留下優秀作品的工匠。元代還出現了技藝超群、并留下姓名的工藝大師。浙江嘉興的朱碧山，以善製精美的銀器而負盛名，作品曾受到元代文人的歌咏稱頌，現藏于故宫博物院、有“朱碧山”刻款的銀槎[42]是體現其造詣的杰作。

明清金銀器更廣泛地用于宗廟、宫廷、文房、閨房等方面，并滲透到生活的細節中。器物種類繁多，造型千變萬化，無固定模式。宋代發展而來的觀賞性物品向純藝術化方向發展。各種器物以華麗見長，製作巧妙，工藝精湛。除了宫中有優秀的御用工匠以外，民間製作也十分昌盛，店鋪和作坊遍布各地。

明代金銀器製作中心在宮廷內和長江中下游。明神宗皇帝朱翊鈞與二皇后于萬曆四十八年（公元1620年）合葬的定陵是重要發現[43]，共出金器二百八十九件，大部分爲錘鍱製成，較爲複雜的器形分部件分别打製，然後焊接在一起。大部分飾有龍紋，少數飾鳳紋。主體紋樣部分錘成浮雕，細部再加鏨刻，有的金器還鑲嵌珠寶作裝飾。部分金器刻有銘文，内容包括製作年代、製作機構、器物名稱、金的成色和重量、經管官員和工匠的姓名。從部分金器邊緣有磕碰、器底有磨損的痕迹來看，大部分是實用器，死後用以隨葬。銀器二百七十一件，大都銹蝕嚴重，個别的已破損。

定陵的金托爵腹部飾二龍戲珠，雙柱頂嵌紅寶石，托盤内底錘鍱出浮雕式的二龍戲珠紋樣，爵身與托盤鑲嵌各色寶石。器體仿照商周青銅爵的造型，但不注重形似，着意于莊重高貴，主要用于陳設和顯示皇帝至高無上的身份。定陵金壺的壺蓋帶玉質寶珠狀鈕，腹上設流和把手，把手與壺蓋間以金鏈相連。壺下有一直壁平底圓形托盤。壺頸部滿飾如意雲紋，肩及腹上部鑲嵌白玉及各色寶石，腹下飾二龍戲珠，托盤外壁飾折枝牡丹。此壺在黄金本色上配嵌白玉和各色寶石，高貴華麗，是明代皇室專用的金器。

定陵神宗皇帝佩戴的金冠，用極細的金絲編織而成，冠後部編飾兩條體態靈活的蟠龍，龍頭于冠頂會合，構成二龍戲珠圖案。此冠結構巧妙，金絲纖細如髮，編織緊密，薄如輕紗，顯示了明代金細工藝的高超技藝，是考古發掘出土的唯一完整無損的中國古代皇帝所戴的金冠。

大量的藩王及其家族墓葬，殮葬時的冠戴更多。益莊王朱厚燁妃墓出土的樓閣人物金簪用細金絲編織襯底，再以金片和細絲做出樓閣人物造型。上層閣内有二人倚坐，侍女立于兩旁；下層廊中端坐一人，兩旁有侍女執物侍候。在很小的空間内，刻劃出建築的脊瓦、廊柱及不同姿態的人物。雖然僅是一件小型飾物，但整個飾物富有立體空間感，表現出了雄偉建築的意趣。

益端王朱祐檳妃彭氏棺内的鳳凰金釵，釵頭聳立着脚踩祥雲、挺胸揚尾的鳳凰，用較粗的金絲和金飾爲骨，冠、尾、翅等處以極爲精細的掐絲和嵌珠製成，玲瓏剔透。釵脚上刻有“銀作局永樂貳拾貳年拾月内成造玖成色金貳兩外焊貳分”的字樣，可知爲明代内府産品。“銀作局”製作的首飾多有發現，均爲貴婦人精緻的裝飾品，代表了明代金器細工的最高水平。刻有地方官府或官府責成金銀匠製作的金銀器也曾發現，其工藝技術也十分精湛。

南京中央門外發現明代開國將領康茂才墓[44]、汪興祖墓[45]，安徽蚌埠發現東甌王湯和墓[46]，三位墓主都獲得特殊的葬禮，隨葬的銀器都是碗、盤、匙、筷、玉壺春瓶、壺、杯，可見當時斂葬用銀器有一定模式的組合。康茂才墓中的銀器置于前室，胎薄易蝕，可能專爲祭奠之用。

卒于成化乙未年（公元1475年）的明憲宗萬貴妃之父萬貴墓隨葬金銀器物的總重量達五百兩[47]。其中鏨花人物樓閣圖八棱盤，鏨刻二十一位人物，或騎馬，或携琴，或交談，或對飲，并襯以樓閣、樹木、水波、橋梁、山石等，將傳統繪畫在金器上表現出來。太白醉酒圖金盞也是八棱體，盞心圓雕太白醉酒像，盞外壁鏨刻八仙人物。海水江牙瑞獸紋金盞托，盤心有雙鈎篆書“壽”字，周圍飾半浮雕式海水江牙瑞獸紋，起伏的波紋中隱現着馬、龍、獅、象、魚等。太白醉酒金盞可置于盞托正中的“壽 ”字上，二者相配組成一套器具。

湖南通道侗族自治縣瓜地村窖藏[48]中清理出土金銀器二十八件，有鼎、盤、蟠桃杯和爵、斝、匜。造型古雅，器體小巧，顯然用于陳設觀賞或財富儲藏。蟠桃杯若一顆剖開的壽桃，捲曲的桃枝巧成杯把，宛若天成。蘄春縣劉娘井村劉氏墓出土的銀盒，蓋與身作成八瓣形，扣合後整體成爲一個八瓣瓜狀，構思新穎、奇特。這類器物融形制與紋樣、使用和觀賞爲一體，製作雖簡潔，却有很高的藝術性。

清代保留下來的皇室金銀器最爲豐富，遍及典章、祭祀、冠服、生活、鞍具、陳設和佛事等方面，陳設用品增多，更有文玩趣味。

北京故宮博物院所藏的清代皇室使用的金銀器物，主要由養心殿造辦處製作。“金甌永固”杯爲清代皇帝每年元旦子時舉行開筆儀式時專用的金酒杯，造型仿古作鼎形，兩側以夔龍爲耳，龍頭頂端嵌珍珠一顆，三個捲鼻象頭爲足，以金絲象牙環抱。杯體滿嵌寶相花，花紋對稱，并以珍珠和紅、藍寶石飾作花芯，杯口飾回紋及“金甌永固”、“乾隆年製”的刻銘。造型古樸別致，紋樣繁縟精細，以浮雕爲主，多處飾有光潔晶瑩的珠寶，色彩絢麗，富麗堂皇，顯示了皇室專用器物的高貴典雅。金編鐘爲清代皇帝舉行大典時使用的一套樂器，用以顯示帝王的威嚴。

金八寶雙鳳盆爲清宮后妃儀仗中使用的金器之一，沿上鏨出靈芝、犀角、寶輪、雙錢、法螺、法輪、畫軸、寶鼎、金剛杵、金魚、寶瓶、錠勝等“八寶”及“雜寶”圖案，又嵌以緑松石、珊瑚作裝飾；盆内底以纏枝紋爲地，錘出三朵凸出于底面的蓮花，兩側鏨對稱的雙鳳，以錘鍱、鏨刻的技法做出，自頸部以上昂然挺起，高高立于盤底之上，形態既輕盈秀麗，又富有生氣。

銀提梁壺壺蓋鏨以海水雲龍紋，頸部鏨松鼠葡萄紋，腹上方爲一周雲龍紋帶，其下以山水竹林爲背景，分別鏨老者對弈、飲酒賞月、携琴訪友、讀書吟詩等人物。紋樣鏨刻後的綫條内均填以黑漆，使光亮的壺體與油黑的紋樣形成强烈的對比，增强了藝術效果。

内蒙古扎魯特旗的清太宗皇太極之女固龍雍穆長公主墓[49]出土了裝骨灰的銀屋，平面爲迴廊式，面闊三間，進深二間。整個銀屋玲瓏精緻，前所未見。榮禄是清代後期的直隸總督兼軍機大臣，貴極一時。墓中隨葬大量金銀珠寶，一件金葫蘆重達139.6克，刻有“丙申重陽皇太后賜臣榮禄”，是慈禧對榮禄六十壽辰的賞賜物。清末大太監李蓮英墓[50]在北京恩濟莊關帝廟北，棺内出土五十餘件金、玉器，以直徑1.6厘米的鑽石帽正、花寶石鑲鑽戒指、光緒款金烟碟爲珍品。

清代金銀器製作工藝更加精細，常常與鑲嵌工藝相結合，還出現點燒珐琅或以金掐絲填燒珐琅的新工藝。纍絲工藝的作品堪稱清代金銀細工一絶，製作過程是先以較粗的銀絲組成捲草紋，間隙間用細銀絲堆纍細部，然後用熔焊的技法使表面略有熔融，光滑平整。這種以技藝卓越的纍絲工藝製成的銀器玲瓏剔透，并具有織物柔軟華麗的質感。故宫藏銀纍絲花瓶是陳設用器，體爲十二瓣，先用銀絲分瓣製作，再焊接成器體，每瓣飾細小的鳳尾狀花葉紋。此瓶分瓣組裝，瓣間深凹，使器壁增添了厚度感，通體又猶如一朵含苞欲放的花蕾。銀纍絲圓盒以銀絲纍出纏枝花紋爲地，再用粗銀絲掐成花卉圖案，并鑲嵌燒藍和緑色珐琅釉。此二件瓶、盒是清代銀纍絲工藝的代表性作品。

明清金銀製品造型多樣化，紋飾世俗化，色澤趨向華貴，顯示出金銀工藝一改宋元時候清淡、素雅和恬静的風格，向華貴、輝煌嬗變。精細複雜作品的創造的前提是對金銀材料的特性更深刻掌握，體現了人們在資源稀少、珍貴難得的情况下，獨具匠心，以材質的光燦奪目和造型、裝飾紋樣與色澤的精美達到表現高貴品位的目的。

注釋：

① 參見郭伯南：《文物縱橫談》，文物出版社，1990年。

② 甘肅省博物館：《甘肅省文物考古工作三十年》，《文物考古工作三十年》第142、143頁，文物出版社，1979年。

③ 北京鋼鐵學院：《中國冶金簡史》，科學出版社，1978年。

④ 中國社會科學院考古研究所：《安陽殷墟婦好墓》，文物出版社，1989年。

⑤ 中國社會科學院考古研究所：《安陽殷墟郭家莊商代墓葬》，中國大百科全書出版社，1999年。

⑥ 韓偉：《論甘肅禮縣出土的秦金箔飾件》，《文物》1995年第6期。

⑦ 寶鷄市考古工作隊：《寶鷄市益門村二號春秋墓發掘簡報》，《文物》1993年第10期。

⑧ 山東省淄博市博物館：《西漢齊王墓隨葬器物坑》，《考古學報》1985年第2期。

⑨ 著名的“欒書缶”，器身有金錯文字四十個，蓋内金錯文字八個，是目前見到的較早施以金錯的容器。容庚等：《殷周青銅器通論》，科學出版社，1958年。

⑩ 浙江省文物管理委員會等：《紹興306號戰國墓發掘簡報》，《文物》1984年第1期。

⑪ 河南省文化局文物工作隊：《信陽長臺關第二號楚墓的發掘》，《考古通訊》1958年第11期。

⑫ 牟永抗：《紹興306號越墓芻議》，《文物》1984年第1期。

⑬《管子》，顔昌嶢校釋本，第48、49頁，岳麓書社，1996年。

⑭《管子》，顔昌嶢校釋本，第577頁，岳麓書社，1996年。

⑮ 夏湘蓉等：《先秦金屬礦産共生關係史料試探》，《科技史文集》第三輯，上海科學技術出版社，1980年。

⑯《戰國策》，何建章注釋本，第555頁，中華書局，1990年。

⑰ 王峰：《河北興隆縣發現戰國金礦遺址》，《考古》1995年第7期。

⑱ 秦始皇兵馬俑博物館等：《始皇陵銅車馬發掘報告》，文物出版社，1998年。

⑲ 中國社會科學院考古研究所：《唐長安城郊隋唐墓》，文物出版社，1980年。

⑳ 浙江省文物管理委員會：《浙江臨安板橋的五代墓》，《文物》1975年第8期。

㉑ 浙江省文物考古研究所：《雷峰遺珍》，文物出版社，2002年。

㉒ 鎮江市博物館等：《唐代金銀器》圖197、198、204、205，文物出版社，1985年。

㉓ 鎮江市博物館等：《唐代金銀器》圖195、197、202，文物出版社，1985年。

㉔ 内蒙古文物考古研究所等：《遼耶律羽之墓發掘簡報》，《文物》1996年第1期。

㉕ 前熱河省博物館籌備組：《赤峰縣大營子遼墓發掘報告》，《考古學報》1956年第3期。

㉖ 内蒙古自治區文物考古研究所等：《遼陳國公主墓》，文物出版社，1993年。

㉗ 項春松：《赤峰發現的契丹鎏金銀器》，《文物》1985年第2期。

㉘ 巴右文等：《内蒙昭烏達盟巴林右旗發現遼代銀器窖藏》，《文物》1980年第5期。

㉙ 河北省文物研究所等：《河北固安于沿村寶嚴寺塔基地宫出土文物》，《文物》1993年第

4期。

㉚ 黑龍江省文物管理局：《黑龍江省考古五十年》，《新中國考古五十年》第134　135頁，文物出版社，1999年。

㉛ 董居安：《寧石壩發現墨書西夏文銀器》，《文物》1978年第12期。

㉜ 安徽六安縣文物工作組：《安徽六安縣花石咀古墓清理簡報》，《考古》1986年第10期。

㉝ 張景明等：《内蒙古地區蒙元時期金銀器》，《内蒙古文物》1999年第2期。

㉞ 内蒙古博物館等：《鑲黄旗烏蘭溝出土一批蒙元時期金器》，《内蒙古文物考古文集》第一輯，中國大百科全書出版社，1994年。

㉟ 蓋山林：《興和縣五甲地古墓》，《内蒙古文物》第3期，1984年。

㊱ 敖漢旗博物館：《敖漢旗發現的元代金銀器窖藏》，《内蒙古文物》1991年第1期。

㊲ 内蒙古文物考古研究所等：《元上都城南砧子山南區墓葬發掘報告》，《内蒙古文物考古文集》第一輯，中國大百科全書出版社，1994年。

㊳ 安徽六安縣文物工作組：《安徽六安縣花石咀古墓清理簡報》，《考古》1986年第10期。

㊴ 江蘇省文物管理委員會：《江蘇吴縣元墓清理簡報》，《文物》1959年第11期。

㊵ 無錫市博物館：《江蘇無錫市元墓中出土一批文物》，《文物》1964年第12期。

㊶ 蘇州市文物保管委員會等：《蘇州吴縣張士誠母曹氏墓清理簡報》，《考古》1965年第6期。

㊷ 《中國美術全集》編輯委員會：《中國美術全集・工藝美術編10・金銀玻璃珐琅器》第154頁，文物出版社，1987年。

㊸ 中國社會科學院考古研究所等：《定陵》，文物出版社，1990年。

㊹ 南京市博物館：《江蘇南京市明蘄國公康茂才墓》，《考古》1999年第10期。

㊺ 南京市博物館：《南京明汪興祖墓清理簡報》，《考古》1972年第4期。

㊻ 蚌埠市博物展覽館：《明湯和墓清理簡報》，《文物》1977年第2期。

㊼ A.北京市文物研究所：《北京市考古五十年》，《新中國考古五十年》，文物出版社，1999年。

B.首都博物館：《首都博物館20周年紀念》，北京燕山出版社，2001年。

㊽ 懷化地區文物工作隊等：《湖南通道發現南明窖藏銀器》，《文物》1984年第2期。

㊾ 張柏忠：《清固龍雍穆長公主墓》，《文物資料叢刊》第7集，文物出版社，1983年。

㊿ 北京市文物研究所：《北京市考古五十年》，《新中國考古五十年》，文物出版社，1999年。

中國古代玻璃器概述

光亮透明、色彩斑斕的玻璃，對古人來説，充滿神秘感，甚珍貴，宋元以前的價值甚至凌駕于寶石、金銀之上。遺憾的是，中國古代玻璃工藝發展緩慢，幾經曲折，没有中斷停止，也未見繁榮。它依附過玉石，模仿過瓷漆，學習過外國，也自行發展。頗爲獨特的是，中國古代玻璃出現伊始，就與西方輸入玻璃密切相關，“絲綢之路”宏大的歷史背景賦予它中西文化傳播載體的角色，各代零散的出土遺物，連綴出一條朦朧的軌迹，折射出往日世界的燦爛輝煌，述説着微妙而鮮爲人知的歷史。

中國最早有關玻璃的綫索是陝西周原西周墓中出土的一些管、珠、片狀結晶物體①，通過化學成分等方面的測定後，被認爲是玻璃；雖然没有得到普遍認同，對玻璃的討論却逐漸增多②，中國玻璃的起源，也由此可追溯到西周。

構成玻璃原料的主體物質在化學上叫“硅酐”，廣泛存在于地球表面，高温燒製含有硅酐的器物或材料時便有可能出現類似玻璃的副產品。世界上其他地區較多認爲玻璃起源于陶瓷釉，中國在廣泛燒製陶器時，也曾出現了帶青釉的釉陶或“原始瓷器”，表面的透明釉與西周時期透明的管、珠是相似的物質。中國的“原始瓷器”表面施釉不匀時往往會凝聚成晶瑩明亮的小塊，人們也許會無意中受到啓發而發明玻璃。文獻記載中最早的綫索出自《穆天子傳》，説穆王經過重雍氏之地，“于是取采石焉。天子使重雍之民鑄以成器于黑水之上，器服物佩好無疆。”《穆天子傳》曾被認爲是僞書，但更多的學者傾向于此書成書于戰國中晚期，其中有一些西周時代的史料。書中的取采石鑄以成器，并用作服物裝飾的記載，清代以來就引起不少學者的興趣和考證，或許可以認爲是我國文獻中最早與玻璃有關的記録③。《穆天子傳》中未直接提到玻璃，所謂取采石鑄以成器，似乎是利用礦石爲原料人工合成物品，將之考訂爲玻璃，并無不可，但解釋成是金屬冶煉也説得通。因此，取采石鑄以成器的產品究竟是不是玻璃并無定論。即便《穆天子傳》中的這段話講的是西周時代的玻璃無誤，也是先秦時代唯一的記載，僅靠這條文獻來判定中國古代玻璃的起源顯然論據不足。目前考古發現了大量西周時代的遺物，其中是否有玻璃呢? 顯然應該從實物中尋求答案。

文獻中與玻璃相關的記載有“璆琳”、“陸離”、“流離”或“琉璃”、“璧琉璃”、“頗黎”、“硝子”、“料”等稱謂。但中國古代的這些稱謂，內容複雜，未必都是現代意義上的玻璃，至少天然寶石、人工燒製琉璃釉也包括其中。稱呼上的多樣，反映出人們對玻璃的認識模糊不清。現代考古又常常稱作“玻璃”、

“琉璃”和“料器”，這大體是根據其透明程度所作的區别，也是受玻璃實物發現的不足和研究的不充分所限。一般把透明度好的稱爲“玻璃”，把透明度差的稱爲“琉璃”，把色彩鮮艶的小件器物稱爲“料器”。

對戰國時期出現的玻璃没有争議。不少墓葬中出土玻璃器，其中“蜻蜓眼”玻璃珠最多。所謂“蜻蜓眼”，是因爲在玻璃珠上粘附色環而得名，藝術效果好似蜻蜓的眼睛。這類玻璃珠幾乎分布于中國各地，其成分有的爲鉛鋇玻璃，有的含氧化鈉較高。國内外學者都認爲，前者是中國自製的，後者爲自中國以西的國家輸入的。鉛玻璃出現在中國應該説是順理成章，因爲中國青銅冶煉十分發達，冶煉青銅時礦渣中産生的化合物與玻璃無大區别。還有青銅器中含有一定比例的鉛，當時中國人對鉛的提煉和其助熔作用有較深的瞭解，因此，含鉛較高的玻璃出現在中國也是自然的。湖南、安徽、福建、陝西等地的戰國墓葬中還有一些玻璃璧，湖南長沙地區發現最多，大都屬于玉器的代用品。湖南地區10%的戰國墓葬中都出土有玻璃器，其中包括僅可容身的小型土坑墓，可知當時一般的庶人也使用玻璃器隨葬。

漢代玻璃器的種類稍多，器物的個體變大。陝西興平縣漢武帝茂陵附近發現的藍色玻璃璧直徑達23.4厘米。湖南長沙市西漢墓出土了玻璃矛，四川、湖南發現玻璃印章，廣東還有玻璃帶鈎，江蘇揚州市邗江區西漢墓出現玻璃衣片，河北滿城西漢墓出土耳杯、盤。這時的玻璃器可分爲裝飾品、飲食器、禮器等。裝飾品有珠、管、耳璫、鼻塞、環、龜形器、帶鈎等，飲食器有碗、盤、杯等，禮器主要是玻璃璧及禮儀活動中用的玻璃矛、印章、劍柄裝飾等。玻璃還作爲其他器物上的裝飾物。滿城西漢墓中的一件銅壺，通體鎏金，腹部鑲嵌銀乳釘，器身做出斜方格，内填緑玻璃，這反映了當時玻璃的用途廣泛。玻璃珠仍然是最多的，有時一座墓就達1000多粒，出土時位于尸骨的頭部和胸部至腰部之間，顯然是死者身上佩帶的飾物，也有與其他錢幣同置于一起，作爲珍貴的財富隨葬。最早的玻璃器皿始見于西漢，滿城西漢中山靖王劉勝墓④出土玻璃耳杯、盤。耳杯是中國特有的器物，漢代墓葬中普遍出土這種形狀的漆、陶製品。玻璃盤的形制也與同時期的銅、陶、銀盤相近。經過光譜定性分析，玻璃盤主要成分是硅和鉛，製作方法是鑄造成型，可見中國早期玻璃器皿在器物形態、原料成分、裝飾手法上與西方玻璃不同。

戰國和漢代玻璃器物有三個特點。第一，仿玉傾向明顯。器物的種類和造型，多與當時的玉、銅和陶器等相同。東漢王充在《論衡》中談到玻璃時説“道人消爍五石，作五色之玉”，可見是把玻璃與玉器相比擬來描述，形容美麗也以玉器爲標準。第二，絶大多數器物都采用鑄造方法。滿城漢墓的耳杯、盤是難得的發現，造型與當時流行的漆耳杯，銅、陶盤相近，工藝上是鑄造成型。用玻璃材料製作器皿，鑄造不是理想的方法，但中國最初用玻璃製造器皿，最方便、最容易的就是借用中國古代已經熟知的青銅鑄造手段。第三，發現外國輸入的玻璃器皿。廣東廣州市横枝崗西漢墓出土的玻璃碗、江蘇揚州市邗江區甘泉二號西漢墓中的攪胎玻璃殘片、河南洛陽市東郊東漢墓出土的玻璃瓶，它們的形制、裝飾技法和原料成分都表明可能是羅馬玻璃製品。戰國和漢代玻璃大體可分爲鉛鋇、鈉鈣和鉀玻璃三個系統。歐洲、北非、西亞的玻璃都不含鋇，含鉀的玻璃也很少，因此鉛鋇玻璃是中國自製的，鈉鈣玻璃是西方輸入的，而鉀玻璃被推測是廣西、廣東地區的中國自産玻璃，也有人認爲來源于國外。

中國早期玻璃發現不多，也許是因爲有發達的青銅、玉、陶瓷、漆木製造業，基本滿足了日常生活器具生産的需要，玻璃器雖然有其獨特的優點，并非不可取代。測試表明中國自産的鉛玻璃化學穩定性差，不耐腐蝕，而且質地輕脆，容易破裂，不適于廣泛用來製作各種器物。

對三國兩晋南北朝時期的玻璃器，目前的發現有個特别的現象，即多爲外國輸入品，它們分别屬于羅馬玻璃和薩珊玻璃。南方常見羅馬玻璃，北方薩珊玻璃較多，反映南海和陸路“絲綢之路”的暢通。南方地區的湖北鄂城西晋墓、江蘇南京石門坎六朝早期墓⑤、南京象山東晋7號墓、南京大學北園東晋墓⑥、南京北郊東晋墓⑦等都出土有外來玻璃器皿和殘片。北方地區的北京西晋華芳墓、山西大同北魏墓、遼寧朝陽北燕馮素弗墓、陝西固原北周李賢墓等也出土外國玻璃器。這些墓葬均爲高級王侯貴族，有的甚至可能是帝陵。可見玻璃器皿當時衹在少數貴族中使用，它們比金、銀、玉器還要珍貴。

南京東晋墓罐形玻璃碗是一件來自于古代羅馬統治區域内的産品，它與羅馬帝國領域内製造的罐形玻璃碗的造型、裝飾手法十分相似，尺寸也大體相當。羅馬作爲當時世界玻璃製作中心，産品不斷流向世界各地，古代東亞也是獲得羅馬玻璃器皿的地區之一。遼寧朝陽北燕馮素弗墓⑧内，出土了一件與南京東晋墓罐形玻璃碗造型、尺寸十分接近的玻璃碗。這件罐形碗成分鑒定結果是鈉鈣玻璃，與羅馬玻璃的基本組成相似。同墓共出土鴨形玻璃器，玻璃碗、杯，罐形玻璃碗和殘器座等五件器物，共同特點是底部有疤痕，爲吹製成型，器物口沿微向内捲，玻璃條纏圈足。這些工藝手法和造型特徵是羅馬玻璃器皿中常見的，因此，都屬于羅馬玻璃系統。

陝西咸陽北周墓出土一件薩珊玻璃碗。薩珊玻璃的裝飾工藝中最突出的是磨花紋樣，可分爲兩大類。一類是以鄂城西晋墓玻璃碗和固原北周李賢夫婦墓玻璃碗爲代表的凸起圓紋，其特徵是圓紋凸起于器表，每個圓飾的頂面稍内凹。製作過程是先模吹製出器物形狀，再對凸起圓形部分進行打磨⑨。另一類以大同北魏墓玻璃碗爲代表，圓紋或橢圓紋内凹于器表，是在製好的器形上直接打磨，形成橢圓形的内凹。大同北魏墓玻璃罐形碗的外壁口沿下凹成一周溝狀，腹部磨出交互排列的四排細密的橢圓形磨製紋樣，底部亦在正中磨出一個大的圓形，四周繞以六個較小的圓形。湖北鄂城、新疆樓蘭也出土了采用這種製造工藝的玻璃碗。鄂城西晋墓的玻璃碗經檢測爲鈉鈣玻璃。

玻璃不是天然物質，是由硅石、碱和石灰及其他原料，經適當調合，高温熔解製成的。玻璃可透光，對古代人來説是神奇的。三至五世紀的文獻記載中多稱“琉璃”，被認爲是珍貴的寶器，還常和外來事物聯繫在一起。外來玻璃發現較多并不奇怪，因爲這時正值絲綢之路的興盛。西晋詩人潘尼在《玻璃碗賦》中説，“覽方貢之彼珍，瑋兹碗之獨奇，濟流沙之絶險，越葱嶺之峻危，其由來阻遠”，道出西方玻璃器歷經艱難險阻傳入中國的情况。三國兩晋南北朝輸入的外國玻璃器大都在墓葬和塔基中出土，年代一般比較清楚，對中亞、西亞乃至歐洲古代玻璃的研究也彌足珍貴，而且涉及到中外使節和商旅的頻繁往來，以及中西文化交流的廣闊背景。不僅如此，《北史・大月氏傳》中記載魏武帝時還有月氏人來到京師，自稱能作五色琉璃，并采礦製造，“自此，國中琉璃遂賤，人不復珍之”。西方玻璃不斷流入，對中國玻璃製造業産生了重要影響。東晋葛洪的《抱朴子・内篇・論仙》載：“外國作水精碗，實合五種灰以作之，今交廣多有得其法而鑄作之者。”看來對外國的玻璃製造工藝也有所瞭解。西方玻璃器的製造工藝包括鑄、纏等技術，而更普遍地采用吹製成形，三國以後的中國已經基本掌握這種外來工藝。河北定州北魏塔基出土的玻璃器即采用吹製法成形，有的還粘貼玻璃條爲裝飾，這是西方玻璃器上常見的作法。然而鉢、瓶、葫蘆形小瓶等簡單的造型，均采用中國陶瓷器皿中多見的傳統樣式。

隋代歷史不長，出土玻璃器的數量却較多，陝西西安李静訓墓有罐、扁瓶、無頸瓶、管狀器、杵形器、小杯、卵形器、珠形器等二十四件玻璃器。據研究，藍色小杯、緑色小杯、無頸瓶、緑扁瓶含鈉鈣較高，是受西方影響、用新技術生産的；緑玻璃罐、卵形器和管形器爲鉛玻璃，是在中國傳統工藝的基礎上發展而來的。西安東郊清禪寺隋舍利墓的玻璃細頸瓶是薩珊玻璃器中的精品。廣西欽州市久隆1號隋墓的玻璃高足杯，陝西銅川市耀州區隋舍利塔基的緑色帶蓋玻璃瓶，河北定州塔基内出土的天藍色瓶，也可能是用西方新技術製造的。可見隋代玻璃既有外國輸入的，也有中國傳統的和在西方技術影響下製造的。

唐代玻璃器使用範圍擴大，形制多樣。瓶類器有長頸瓶、無頸瓶、扁瓶和葫蘆瓶，杯類器有高足杯、直筒杯和敞口小杯、茶托盞，還有一些玻璃珠或玻璃果、玻璃球等。在中國傳統工藝基礎上發展而來的玻璃有陝西三原縣唐代李壽墓的三件殘玻璃瓶，湖北郧縣唐代李泰墓的黃玻璃瓶，甘肅涇川縣唐代塔基出土的舍利瓶，陝西西安市東郊唐代塔基出土的玻璃瓶，黑龍江寧安縣渤海國故都上京龍泉府遺址出土的舍利瓶。其成分主要是高鉛玻璃，有的含較多的鎂和鉀。

外國輸入的玻璃器中，河南洛陽關林唐墓的細頸球形腹玻璃瓶，是羅馬後期至伊斯蘭初期用于盛香水的玻璃瓶。西安何家村遺寶中的凸紋玻璃杯，口沿下有一周凸起的弦紋，腹部有八組，每組三個圓環紋，呈凸起的效果。臨潼慶山寺玻璃瓶形體較小，器肩有一周凸起的弦紋，腹外壁粘貼不規則的凸起網狀紋。器物的表面粘貼玻璃條爲裝飾，原本是羅馬玻璃經常采用的手法，薩珊玻璃興盛後，工匠們繼承發展了這一技術，這兩件玻璃應是西亞輸入的薩珊器物。

陝西扶風法門寺唐代地宫出土了二十件玻璃製品，是唐皇室賜予法門寺的珍寶。地宫内咸通十五年（公元874年）鎸刻的《應從真寺隨真身供養道具及恩賜金銀器物寶函等并新恩賜到金銀寶器衣物賬》碑，提到“瑠璃鉢子一枚，瑠璃茶椀柘子一副，瑠璃疊子十一枚”。實際出土的玻璃器中除茶托、素面玻璃盤等造型采用中國傳統器皿的樣式，爲中國製造的之外，其餘大都是伊斯蘭玻璃中的珍品。“瑠璃疊子”無疑是指地宫中的伊斯蘭藍色玻璃盤，這些玻璃盤有紋樣者都是以植物的枝葉和幾何圖案爲主題紋樣，采用刻劃的技法飾出，有的還在主要綫條中描金色，華麗奪目。還有一件釉彩玻璃盤，施滿不透明的黃色作底色，内壁沿口沿處繪十二個黑色半圓弧紋。釉料彩繪是伊斯蘭玻璃裝飾工藝的一種，在早至九世紀的產品中極爲罕見。據統計，唐代自永徽二年（公元651年）至貞元十四年（公元798年），大食遣使三十九次[10]。唐玄宗時“周慶立爲安南市舶使，與波斯僧廣造奇巧，將以進内”，唐人對波斯和大食人很難區分，也常常把波斯滅亡後的大食人稱作波斯。八世紀中葉以後，中亞、西亞仍與唐朝保持着交往，還有大量的波斯、大食人居住在廣州、泉州、揚州從事商業活動，揚州中晚唐城址中還出土許多波斯陶器，唐代新興的港口城市泉州留下了伊斯蘭人的墓地[11]。法門寺伊斯蘭玻璃被推測是通過海路傳來[12]。由海路輸入的可能還有在揚州城中晚唐時期的房屋遺址中出土的大量玻璃殘片，可以看出其中有各種瓶、直筒杯、碗或盤等，有的帶磨花、刻紋玻璃，選樣化學分析表明是伊斯蘭鈉鈣玻璃。該房址被推測爲波斯邸胡店[13]。唐代還有可能使用進口原料在中國製造器物，揚州發現中晚唐遺址中的玻璃，許多厚度僅1毫米左右，這些易碎玻璃很難運到中國，也可能是從伊斯蘭世界運來的原料，準備在揚州進一步加工爲成品[14]。

遼代玻璃的出土地點多和皇室、貴族及寺院有關。遼代陳國公主夫婦二人開泰七年（公元1018年）的合葬墓在内蒙古奈曼旗被發掘⑮，出土有二件帶把玻璃杯、一件玻璃瓶、一件乳釘紋玻璃瓶、一件乳釘紋玻璃盤和二件高頸瓶，其中四件保存完好，另有一件可復原，都是伊斯蘭玻璃。遼寧朝陽市姑營子“左領軍衛大將軍”、“户部使加太尉”耿延毅墓出土緑色玻璃把杯、黄色玻璃盤，也是外來的伊斯蘭器物⑯。這些地位顯赫的高級貴族擁有的玻璃，成爲生活中值得炫耀的物品。遼代朝陽市北塔天宫中出土的玻璃瓶，口似鳥首，細頸，卵形器身，腹中部至口沿有扁形把手，把手的上部立一短柱，器口部設子母式的金蓋，形如鳥頭和嘴，把手頂的立柱似鳥尾，器體像蹲坐的鳥身，造型奇特美觀。天津薊縣遼代獨樂寺白塔出土的四件玻璃器，其中磨花玻璃瓶幾乎與陳國公主墓出土的完全一樣。伊斯蘭玻璃在九世紀時形成自己獨特的風格，製作工藝上有貼絲、貼花、釉彩、刻花、磨花、模印和描金等許多名目，原料成分屬于鈉鈣玻璃，含較多的鉀，多采用無模自由吹製成型。目前幾乎所有能反映伊斯蘭玻璃工藝成就的精品都在中國發現，而且多與皇室、貴族和寺院有關。

宋代，中國自産玻璃器已成爲主流，數量、品種上較以前有增加，工藝技術全面，用途更加廣泛。保存完好的玻璃多發現于寺院的塔基地宫中，北宋時期的河北定州静志寺塔基、净衆院塔基，江蘇連雲港市海清寺，甘肅靈臺縣舍利石函，河南鄧州市福勝寺地宫、河南新密市塔基，南宋時期的浙江寧波市天封塔，河北正定縣天寧寺凌霄塔地宫都出土了玻璃器。

宋代以玻璃瓶的數量最多，式樣繁複，有葫蘆瓶、長頸瓶、四聯瓶、膽形瓶等多種造型。其中又以葫蘆瓶的數量最多，静志寺出土八件，净衆院出土達三十一件，其它塔基出土的玻璃器亦以葫蘆瓶爲主。這種瓶的尺寸較小，不少盛裝小沙粒狀的舍利子，可能是佛教寺院中專門用來供奉舍利的器皿。宋代還有碗、壺、玻璃珠、蛋形器、壺形鼎、鳥形器等玻璃製品。新密市塔基出土的鼎形壺，先吹製出短頸圓球形的器體，再拉出玻璃條加熱粘貼于器腹下部爲足。鳥形器的製法與鼎形壺相同，但工藝更爲複雜，造型奇特，是北宋玻璃工藝中難得的上乘之作。定州静志寺塔基出土的玻璃珠，製作更爲精緻，酷似葡萄粒，充分利用了玻璃半透明的質感和色彩變幻的特性，使珠飾光彩奪目，晶瑩可愛。宋代玻璃製作大都無模吹製而成，器壁較薄，經過科學分析，大都是中國生産的鉛玻璃。

宋代仍有伊斯蘭玻璃輸入，河北定州宋代静志寺塔地宫出土的玻璃，包括了幾個時代的器物，其中無色透明的方形瓶、磨花細頸瓶、淡黄緑色直頸瓶、深藍色大腹瓶，是在公元977年地宫封閉時埋入的。直頸瓶和大腹瓶經Ｘ光檢測分析，成分爲鈉鈣玻璃，并含有一定量的鉀。這些器物的形制獨特，在中國其它質地的器皿中基本不見，却在伊朗九、十世紀的遺址中經常發現，無疑是伊斯蘭玻璃製品。安徽無爲縣北宋塔基、浙江瑞安市北宋慧光塔塔基出土的刻花玻璃瓶，也是十分精美、保存完好的伊斯蘭玻璃製品。

北宋、南宋的文獻中出現很多對玻璃器的描述。程大昌在《演繁露》中談到玻璃時說“中國所鑄，有與西域异者：鑄之中國，則色甚光鮮，而質則輕脆，沃以熱酒，隨手破裂。至其來自海舶者，製差鈍樸，而色亦微暗，其可异者，雖百沸湯注之，與磁、銀無异，了不損動，是名番琉璃也。番琉璃之异于中國琉璃，其別蓋如此”，道出國産與外國産的玻璃製品在觀賞和使用上的差別。杜綰撰的《雲林石譜》中記，“西京洛河水中出碎石，頗多青白，間有五色斑斕，采其最佳者，入鉛和諸藥，可燒變假玉或琉璃用之”，涉及到當時製造玻璃的配方。趙汝適的《諸番志》載：“琉璃出大食，諸國燒煉之法與中國同，其法用鉛硝石膏燒成，大食則添入南鵬砂，故滋潤不烈，最耐寒暑，宿水不壞，以此重于中國。”記述了伊斯蘭玻璃的優點及與中國在玻璃製造方法和原料上的區別。宋代從伊斯蘭進口玻璃原料，在文獻記載中更明確，南宋初年蔡絛《鐵圍山叢談》記録：北宋政和四年（公元1114年）“奉宸中得龍涎香二，琉璃缶、玻瓈母二大篚。玻瓈母者，若今之鐵渣，然塊大小猶兒拳，人莫知其用，又歲久無籍，且不知其所從來。或云柴世宗顯德間大食所貢，又謂真廟朝物也。玻瓈母，諸璫以意用火煅而模寫之，但能作珂子狀，青紅黄白隨其色，而不克自必也”⑰。雖然對皇室奉宸庫中舊藏“玻瓈母”的來源已經不甚清楚，却直接推測可能是大食所貢，還描述了它的形態和用途。1969年西安市第一中學出土一件相當于北宋時期的深藍色半透明的玻璃碗，敞口斜壁，圈足，凹底，底部有疤痕，爲無模吹製而成，可能是采用伊斯蘭玻璃原料在中國製造的。

元、明、清時期中國玻璃器生産進入一個新的歷史階段，逐漸出現了三個玻璃生産中心，即南方的廣州、北方的山東顔神鎮和北京的清宫廷。規模較大、由官府直接控制的玻璃製造業，是玻璃器産品質量提高的重要保證，無論是原料運用還是製作技術，都表現出前所未有的成就，也使大量生産成爲可能。

元朝政府設立官辦作坊“瓘玉局”，專門生産仿玉玻璃器。甘肅漳縣元代汪世顯家族墓葬中出土一件藍玻璃蓮花盞托，器形較大，製作精美，色彩艷麗，爲元代玻璃器中的精品。但這件器物却不透明，顯然是用玻璃材質仿造玉、瓷器。江蘇蘇州市元代張士誠母曹氏墓中出土數百粒玻璃珠和一件長達42.6厘米的玻璃圭。明代玻璃器實物發現有北京護國寺西舍利塔的玻璃盤、碗，北京天寧寺的玻璃盤及山東鄒縣明朱檀墓的玻璃棋子和玻璃帶板。而更重要的考古發現是山東益都縣顔神鎮元末明初玻璃爐遺址，共有十座爐址或灰坑，清理出玻璃原料、玻璃器，檢測表明絶大多數是鉀鈣玻璃。嘉靖四十四年（公元1565年）的《青州府志》記載顔神鎮玻璃原料以“馬牙、紫石爲主，法用黄丹、白鉛、銅緑焦煎成”。宋應星的《天工開物》上還記述了玻璃製作的全過程，表明玻璃生産技術在明代已十分成熟。

清代玻璃製造得到了皇帝和王公大臣的積極扶植，發展成爲一種重要的行業。康熙時期宫廷内務府養心殿造辦處設立玻璃廠，專門爲皇室製造各種玻璃器，這在歷史上是空前的。爲區别燒造琉璃磚瓦的琉璃廠，取名爲“玻璃廠”。皇家玻璃廠集中來自廣州、顔神鎮等地的能工巧匠，也延請西方傳教士，形成了互相交流、共同切磋的條件。産品有的作賞賜之用，形體較大的器物上多刻有年款。

清代玻璃器應用廣泛，種類豐富，包括典章、陳設、文房、裝飾用具和鼻烟壺等。故宫博物院收藏的實物有杯、水注、水丞、缸、筆洗、瓶、碗、盒、鏡、如意、硯盒、硯滴、果山、棋子、念珠等。同類的器物樣式繁多，千姿百態，還有很多器物仿銅、瓷、玉、漆器，是專門供陳列觀賞用的仿古器物。目前所見清代玻璃，單色多達幾十種，兩種以上色彩的器物也很多。以一種玻璃爲底，再粘着其他顔色玻璃斑點、色塊等，稱之爲“套料”，還有多彩相套的，藝術效果有的似瓷器中的絞胎、絞釉器。這種套料玻璃器至少在康熙時期已經出現。套料加雕鏤的器物，紋樣色彩有别于器物胎體，并略凸出器表，呈微浮雕的效果，是清代宫廷玻璃器皿經常采用的技法。雕刻、描彩、描金、泥金、琺琅彩等加工藝術的運用，更使以鮮艷光亮、晶瑩透明爲基本特徵的玻璃器争奇鬥艷，變化莫測。另一項創新是“灑金”工藝，是在玻璃中燒出金星，如深茶或紅褐色玻璃裏閃耀着金星，需要很高的技術，宫廷玻璃廠建廠不久就已掌握了這種難度較大的工藝。清代還保留下來宫廷玻璃製造的配方，對原料、性能、呈色、火候、設備、産品、流通等都有詳細記録。北京和蘇州的民間也製造玻璃，但産品的數量不大。

嗅鼻烟和玩賞鼻烟壺的風習明代傳入中國後，至清代成爲社會時尚，玻璃鼻烟壺作爲交往中相互饋贈的禮品，其製作也越來越精緻。各式小巧玲瓏、色彩斑斕的玻璃鼻烟壺，是清代獨特的産品。工匠充分發揮了玻璃透明、半透明、不透明、多種色彩的特點，仿琥珀、瑪瑙、白玉、翡翠、水晶等，甚至融入内畫方式的繪畫和書法藝術。鼻烟壺也是清代内府玻璃廠的主要産品之一，嘉慶初年，每年要製造一百二十件，接近年産各類玻璃製品的一半。民間也大量製作，乾隆時期北京“辛家坯”、“勒家坯”、“袁家坯”的作品各具特色，“古月軒”玻璃鼻烟壺也很著名。

明末，西歐一些國家在中國東南沿海的港口城市傾銷包括玻璃在内的各種商品，對外貿易口岸的廣州也成爲學習製作西方玻璃的生産基地。清宫檔案記載，乾隆二十一年（公元1756年）粤海關監督以廣州所産的玻璃手鏡、玻璃盤、玻璃蓋碗等進貢内廷。根據清梁同書《古銅瓷器考》記載，廣州玻璃薄而脆，與質厚晶瑩的“洋玻璃”相比，被稱爲“土玻璃”或“廣鑄”。顔神鎮是元代以來傳統的玻璃製造中心，到了清代還聘請德國的技師，傳授歐洲平板玻璃的配方和製作技術。光緒年間，當地的許多家庭都從事玻璃製造，産品有屏片、匾額等，向外地輸出。清代皇室還收藏許多外國玻璃器，來自于歐洲諸國，以陳設品和兼有裝飾與實用功能的燈具爲主。這類玻璃器與現代玻璃器已没有大的區别。

注釋：

① 盧連成、胡智生：《寶鷄弶國墓地》，文物出版社，1988年。

② 楊伯達：《西周玻璃的初步研究》，《故宫博物院院刊》1980年第2期。張福康等：《中國古琉璃的研究》，《硅酸鹽學報》1983年第3期。

③ 王貽梁：《我國先秦文獻中關于原始玻璃唯一記載的考察》，《考古與文物》1995年第4期。

④ 中國社會科學院考古研究所、河北省文物管理處：《滿城漢墓發掘報告》，文物出版社，1980年。

⑤ 李鑒昭、屠思華：《南京石門坎鄉六朝墓清理記》，《考古通訊》1958年第9期。

⑥ 南京大學歷史系考古組：《南京大學北園東晋墓》，《文物》1973年第4期。

⑦ 南京市博物館：《南京北郊東晋墓發掘簡報》，《考古》1983年第4期。

⑧ 黎瑶渤：《遼寧北票縣西官營子北燕馮素弗墓》，《文物》1973年第3期。

⑨ 齊東方、張静：《中國出土的波斯薩珊凸出圓紋切子裝飾玻璃器》，《創大アジア研究》第十六號，創價大學アジア研究所，1995年3月。

⑩ 參見黄時鑒主編《中西關係史年表》，浙江人民出版社，1994年。

⑪ 揚州博物館、揚州文物商店：《揚州古陶瓷》，文物出版社，1996年。

⑫ 韓偉：《陝西歷史博物館專刊》第一輯，文物出版社，1994年。

⑬ 揚州城考古隊：《江蘇揚州市文化宫唐代建築基址發掘簡報》，《考古》1994年第5期。

⑭ 安家瑶：《玻璃考古三則》，《文物》2001年第1期。

⑮ 内蒙古自治區文物考古研究所、哲里木盟博物館：《遼陳國公主墓》，文物出版社，1993年。

⑯ 朝陽地區博物館：《遼寧朝陽姑營子遼耿氏墓發掘報告》，《考古學集刊》第3集，中國社會科學出版社，1983年。

⑰《鐵圍山叢談》卷五，第97頁，中華書局，1997年。

目　録

金銀器

商至戰國（公元前十六世紀至公元前二二一年）

頁碼	名稱	時代	發現地	收藏地
18	鎏金鏨花銀盤	戰國	山東淄博市窩托村西漢齊王劉襄墓	山東省淄博市博物館
19	猿猴攀枝形銀帶鈎	戰國	山東曲阜市魯國故城遺址	山東省曲阜市文物局
19	銀雄鹿	戰國	陝西神木縣	陝西省神木縣文物管理委員會
20	金怪獸	戰國	陝西神木縣	陝西省神木縣文物管理委員會
21	武士頭像金飾	戰國	河北易縣燕下都30號墓	河北省文物研究所
21	動物紋金牌飾	戰國	河北易縣燕下都30號墓	河北省文物研究所
22	浮雕動物紋半球形金牌飾	戰國	河北易縣燕下都30號墓	河北省文物研究所
23	駱駝紋金牌飾	戰國	河北易縣燕下都30號墓	河北省文物研究所
24	金虎	戰國	遼寧凌源市三官甸子墓葬	遼寧省博物館
24	金鹿	戰國	遼寧凌源市三官甸子墓葬	遼寧省博物館
25	玉耳金舟	戰國	浙江紹興市坡塘306號墓	浙江省博物館
25	鑲綠松石金耳墜	戰國	内蒙古杭錦旗阿魯柴登匈奴墓	内蒙古博物院
26	匈奴金冠飾	戰國	内蒙古杭錦旗阿魯柴登匈奴墓	内蒙古博物院
28	虎咬牛金牌飾	戰國	内蒙古杭錦旗阿魯柴登匈奴墓	内蒙古博物院
28	狼鹿紋銀牌飾	戰國	内蒙古杭錦旗阿魯柴登匈奴墓	内蒙古博物院
29	鷹形金飾片	戰國	内蒙古杭錦旗阿魯柴登匈奴墓	内蒙古博物院
29	虎頭形銀飾	戰國	内蒙古杭錦旗阿魯柴登匈奴墓	内蒙古博物院
30	鑲寶石虎鳥紋金牌飾	戰國	内蒙古杭錦旗阿魯柴登匈奴墓	内蒙古博物院
30	雙虎紋銀扣飾	戰國	内蒙古伊金霍洛旗石灰溝匈奴墓	内蒙古自治區鄂爾多斯博物館
31	虎噬鹿銀牌飾	戰國	内蒙古伊金霍洛旗石灰溝匈奴墓	内蒙古自治區鄂爾多斯博物館
31	虎狼搏鬥紋金牌飾	戰國	内蒙古鄂爾多斯市東勝區塔拉壕鄉	内蒙古自治區鄂爾多斯博物館
32	火炬形金飾件	戰國	内蒙古杭錦旗阿魯柴登匈奴墓	内蒙古文物考古研究所
32	鷹首紋金飾片	戰國	甘肅清水縣劉坪村	甘肅省清水縣博物館
33	盤龍紋金飾片	戰國	甘肅清水縣劉坪村	甘肅省博物館
33	虎噬羊紋金飾片	戰國	甘肅清水縣劉坪村	甘肅省清水縣博物館
34	虎紋條形金飾	戰國	新疆托克遜縣阿拉溝30號匈奴墓	新疆維吾爾自治區博物館
34	金卧虎	戰國	新疆新源縣康蘇鄉	新疆維吾爾自治區博物館
35	葡萄墜金耳環	戰國	新疆伊犁哈薩克自治州特克斯一牧場墓地	新疆維吾爾自治區博物館
35	獅形金牌飾	戰國	新疆托克遜縣阿拉溝30號匈奴墓	新疆維吾爾自治區博物館
36	金虎紋圓形飾	戰國	新疆托克遜縣阿拉溝30號匈奴墓	新疆維吾爾自治區博物館

秦至東漢（公元前二二一年至公元二二〇年）

頁碼	名稱	時代	發現地	收藏地
37	金銀項圈	秦	陝西西安市臨潼區秦始皇陵	陝西省秦始皇兵馬俑博物館
37	銀弩輒	秦	陝西西安市臨潼區秦始皇陵	陝西省秦始皇兵馬俑博物館
38	金當盧	秦	陝西西安市臨潼區秦始皇陵	陝西省秦始皇兵馬俑博物館
38	圓環形金飾件	秦	陝西西安市臨潼區秦始皇陵園	陝西省秦始皇兵馬俑博物館
39	銀帶鈎	秦	陝西西安市臨潼區秦始皇陵園	陝西省秦始皇兵馬俑博物館
39	銀漏斗形器	西漢	河北滿城縣陵山中山靖王劉勝墓	河北省博物館
40	鎏金銀鋪首	西漢	河北滿城縣陵山中山靖王劉勝墓	河北省博物館
41	銀鋪首	西漢	河北滿城縣陵山中山靖王劉勝墓	河北省博物館
42	銀藥盒	西漢	河北滿城縣陵山中山靖王劉勝墓	河北省博物館
42	金帶鈎	西漢	江蘇徐州市獅子山西漢楚王陵	江蘇省徐州博物館
43	銀盒	西漢	廣東廣州市象崗山南越王墓	廣東省廣州南越王墓博物館
43	銀盆	西漢	河北鹿泉市高莊村常山憲王劉舜墓	河北省鹿泉市文物保管所
44	獸面金盔飾	西漢	河北邯鄲市鋼鐵總廠西區墓葬	河北省邯鄲市文物保護研究所
45	金當盧	西漢	山東章丘市棗園鎮洛莊	山東省濟南市博物館
46	銀豆	西漢	山東淄博市窩托村西漢齊王劉襄墓	山東省淄博市博物館
46	金獸	西漢	江蘇盱眙縣南窑莊窑藏	南京博物院
47	馬蹄金	西漢	河北定州市中山懷王劉修墓	河北省文物研究所
47	麟趾金	西漢	河北定州市中山懷王劉修墓	河北省文物研究所
48	金黿	西漢	陝西西安市沙坡村	陝西省西安博物院
48	“文帝行璽”金印	西漢	廣東廣州市象崗山南越王墓	廣東省廣州南越王墓博物館
49	金帶扣	西漢	江蘇徐州市獅子山西漢楚王陵	江蘇省徐州兵馬俑博物館
50	包金卧羊帶飾	西漢	内蒙古準格爾旗西溝畔4號匈奴墓	内蒙古博物院
50	包金花草紋帶飾	西漢	内蒙古準格爾旗西溝畔4號匈奴墓	内蒙古博物院
51	雙獸紋金牌飾	西漢	内蒙古準格爾旗西溝畔2號匈奴墓	内蒙古自治區鄂爾多斯博物館
52	怪獸紋金飾片	西漢	内蒙古準格爾旗西溝畔2號匈奴墓	内蒙古自治區鄂爾多斯博物館
52	九龍紋金帶扣	西漢	新疆焉耆回族自治縣黑疙瘩遺址	新疆維吾爾自治區博物館
53	嵌寶石金戒指	西漢	新疆昭蘇縣夏臺墓葬	新疆維吾爾自治區博物館
53	金耳墜	西漢	吉林通榆縣興隆山墓葬	吉林省博物院
54	金飾片	西漢	雲南江川縣李家山古墓群	雲南省江川縣李家山考古工作隊

頁碼	名稱	時代	發現地	收藏地
55	旋紋金飾	西漢	雲南江川縣李家山古墓群	雲南省江川縣李家山考古工作站
55	杯形金飾	西漢	雲南江川縣李家山古墓群	雲南省江川縣李家山考古工作站
56	獸形金飾	西漢	雲南江川縣李家山古墓群	雲南省江川縣李家山考古工作站
57	金扳指	西漢	雲南江川縣李家山古墓群	雲南省江川縣李家山考古工作站
57	金簪	西漢	雲南江川縣李家山古墓群	雲南省江川縣李家山考古工作站
58	劍鞘金飾	西漢	雲南江川縣李家山古墓群	雲南省江川縣李家山考古工作站
58	金帶扣	西漢	雲南昆明市官渡區羊甫頭	雲南省文物考古研究所
59	“滇王之印”金印	西漢	雲南晉寧縣石寨山6號墓	雲南省博物館
60	壓花牛頭紋金劍鞘	西漢	雲南晉寧縣石寨山漢墓	雲南省文物考古研究所
61	金臂甲	西漢	雲南晉寧縣石寨山漢墓	雲南省博物館
62	金鐲	西漢	雲南晉寧縣石寨山漢墓	雲南省博物館
62	虎紋銀帶扣	西漢	雲南晉寧縣石寨山漢墓	雲南省博物館
63	掐絲鑲嵌金辟邪	東漢	河北定州市北陵頭村中山穆王劉暢墓	河北省定州市博物館
63	掐絲鑲嵌金龍	東漢	河北定州市北陵頭村中山穆王劉暢墓	河北省定州市博物館
64	龍形金飾	東漢	江蘇揚州市邗江區甘泉鎮2號漢墓	南京博物院
64	王冠形金飾	東漢	江蘇揚州市邗江區甘泉鎮2號漢墓	南京博物院
64	品形金勝片	東漢	江蘇揚州市邗江區甘泉鎮2號漢墓	南京博物院
65	金耳墜	東漢	吉林榆樹市老河深墓葬	吉林省博物院
65	金耳墜	東漢	吉林榆樹市老河深墓葬	吉林省博物院
66	金柄鐵劍	東漢	内蒙古太僕寺旗	故宫博物院
66	金馬紋飾件	東漢	内蒙古太僕寺旗	故宫博物院
67	金獸頭形空心杖首	東漢	内蒙古太僕寺旗	故宫博物院
67	雙羊紋金牌飾	東漢	内蒙古呼和浩特市添密梁墓葬	内蒙古自治區呼和浩特市文物事業管理所
68	三鹿紋金牌飾	東漢	内蒙古察哈爾右翼後旗井灘村	内蒙古博物院
68	雙馬形金佩飾	東漢	内蒙古科爾沁左翼中旗六家子墓葬	内蒙古民族博物館
69	馬形金挂飾	東漢	内蒙古科爾沁左翼中旗六家子墓葬	内蒙古民族博物館
70	鳳鳥形金步摇冠飾	東漢	内蒙古科爾沁左翼後旗毛力吐墓葬	内蒙古民族博物館
71	狼噬牛金牌飾	東漢	青海祁連縣	青海省文物考古研究所
72	金頭花	東漢	甘肅武威市凉州區韓佐鄉紅花村	甘肅省文物考古研究所
72	怪獸啄虎紋金牌飾	東漢	新疆吐魯番市交河溝北墓地	新疆文物考古研究所
73	駱駝形金牌飾	漢	新疆吐魯番市交河溝北墓地	新疆文物考古研究所
73	金鹿	漢	新疆吐魯番市交河溝北墓地	新疆文物考古研究所
74	金戒指	漢	新疆吐魯番市交河溝西墓地	新疆文物考古研究所
74	牛頭形金牌飾	漢	新疆吐魯番市交河溝西墓地	新疆文物考古研究所

頁碼	名稱	時代	發現地	收藏地
75	金冠	漢	新疆吐魯番市交河溝西墓地	新疆文物考古研究所
75	鑲石金墜	漢	新疆和靜縣拜勒其爾古墓地201號墓	新疆文物考古研究所

兩晉南北朝（公元二六五年至公元五八九年）

頁碼	名稱	時代	發現地	收藏地
76	鑲寶石跪獸金帽飾	西晉	內蒙古涼城縣小壩子灘	內蒙古博物院
77	虎犬紋金牌飾	西晉	內蒙古涼城縣小壩子灘	內蒙古博物院
77	“猗㐌金”獸紋金牌飾	西晉	內蒙古涼城縣小壩子灘	內蒙古博物院
78	四鳥紋金牌飾	西晉	內蒙古涼城縣小壩子灘	內蒙古博物院
79	獸面金戒指	西晉	內蒙古涼城縣小壩子灘	內蒙古博物院
79	聯珠金手鐲	西晉	江蘇南京市梅家山	南京博物院
79	掐絲鑲嵌銀鈴	西晉	北京石景山區華芳墓	首都博物館
80	龍紋金帶扣	西晉	湖南安鄉縣黃山頭林場劉弘墓	湖南省安鄉縣文物管理所
80	新月形嵌玉金飾	十六國・前燕	遼寧北票市房身村前燕墓	遼寧省博物館
81	方形鏤刻金步摇	十六國・前燕	遼寧北票市房身村前燕墓	遼寧省博物館
81	金步摇	十六國・前燕	遼寧朝陽市十二臺鄉前燕墓	遼寧省博物館
82	金步摇	十六國・前燕	遼寧北票市房身村前燕墓	遼寧省博物館
83	金頂針	十六國・前燕	遼寧北票市房身村前燕墓	遼寧省博物館
83	金戒指	十六國・前燕	遼寧北票市房身村前燕墓	遼寧省博物館
83	金冠飾	十六國・北燕	遼寧北票市馮素弗夫婦合葬墓	遼寧省博物館
84	金璫	十六國・北燕	遼寧北票市馮素弗夫婦合葬墓	遼寧省博物館
85	佛像紋山形金飾	十六國・北燕	遼寧北票市馮素弗夫婦合葬墓	遼寧省博物館
86	佛像金戒指	東晋	江西南昌市火車站東晋墓	江西省南昌市博物館
86	雙鳳金飾	東晋	江蘇南京市仙鶴觀東晋墓	江蘇省南京市博物館
87	蟬紋金璫	東晋	江蘇南京市仙鶴觀東晋墓	江蘇省南京市博物館
87	金耳環	北魏	寧夏固原市寨科鄉北魏墓	寧夏回族自治區固原博物館
88	鎏金刻花銀碗	北魏	山西大同市	山西省大同市博物館
88	金耳墜	北魏	山西大同市	山西省大同市博物館
89	蓮花紋銀碗	東魏	河北贊皇縣刑郭村李希宗墓	河北省正定縣文物保管所
89	金飾	北齊	山西太原市晋源區王郭村婁叡墓	山西省考古研究所
90	人物紋鎏金銀執壺	北周	寧夏固原市清河鎮深溝村李賢夫婦合葬墓	寧夏博物館

頁碼	名稱	時代	發現地	收藏地
91	“天元皇太后璽”金印	北周	陝西咸陽市渭城區底張鎮北周武帝孝陵	陝西省咸陽市渭城區文物保護中心
91	金牌飾	北朝	遼寧義縣保安寺	遼寧省博物館
91	金耳飾	北朝	遼寧義縣保安寺	遼寧省博物館
92	馬頭鹿角金冠飾	北朝	内蒙古達爾罕茂明安聯合旗西河子村	内蒙古博物院
93	牛頭鹿角金冠飾	北朝	内蒙古達爾罕茂明安聯合旗西河子村	内蒙古博物院
94	金龍	北朝	内蒙古達爾罕茂明安聯合旗西河子村	内蒙古博物院
95	嵌寶石金猪帶飾	北朝	内蒙古和林格爾縣另皮窑村	内蒙古博物院
95	包金神獸紋帶飾	北朝	内蒙古土默特左旗討合氣村	内蒙古博物院
96	馬紋金飾件	北朝	内蒙古科爾沁左翼中旗	内蒙古文物考古研究所
96	人物雙獅紋金牌飾	北朝	内蒙古科爾沁左翼中旗腰林毛都蘇木北哈拉吐	内蒙古民族博物館
97	人面形金牌飾	北朝	内蒙古科爾沁左翼中旗腰林毛都蘇木北哈拉吐	内蒙古民族博物館
98	鑲寶石立羊形金戒指	北朝	内蒙古呼和浩特市賽罕區	内蒙古博物院
98	金冥幣	北朝	甘肅高臺縣駱駝城	甘肅省高臺縣博物館
98	金耳飾	高句麗	吉林集安市	吉林省集安市博物館
99	鑲嵌紅寶石金面具	公元6世紀前後	新疆昭蘇縣波馬古墓	新疆維吾爾自治區伊犁哈薩克自治州文物管理所
100	鑲嵌紅瑪瑙虎柄金杯	公元6世紀前後	新疆昭蘇縣波馬古墓	新疆維吾爾自治區伊犁哈薩克自治州文物管理所
101	鑲嵌紅寶石戒指	公元6世紀前後	新疆昭蘇縣波馬古墓	新疆維吾爾自治區伊犁哈薩克自治州文物管理所
101	鑲嵌紅寶石寶相花金蓋罐	公元6世紀前後	新疆昭蘇縣波馬古墓	新疆維吾爾自治區伊犁哈薩克自治州文物管理所

隋唐五代十國（公元五八一年至公元九六〇年）

頁碼	名稱	時代	發現地	收藏地
102	金高足杯	隋	陝西西安市隋李静訓墓	中國國家博物館
102	金手鐲	隋	陝西西安市隋李静訓墓	中國國家博物館
103	金項鏈	隋	陝西西安市隋李静訓墓	中國國家博物館

頁碼	名稱	時代	發現地	收藏地
104	金頭飾	隋	陝西西安市隋李静訓墓	中國國家博物館
105	蓮瓣花鳥紋高足銀杯	唐	陝西西安市沙坡村唐代金銀器窖藏	中國國家博物館
105	狩獵紋高足銀杯	唐	陝西西安市沙坡村唐代金銀器窖藏	中國國家博物館
106	鹿紋十二瓣銀碗	唐	陝西西安市沙坡村唐代金銀器窖藏	中國國家博物館
107	鎏金銀香囊	唐	陝西西安市沙坡村唐代金銀器窖藏	中國國家博物館
108	樂伎八棱金杯	唐	陝西西安市何家村唐代金銀器窖藏	陝西歷史博物館
110	掐絲團花金杯	唐	陝西西安市何家村唐代金銀器窖藏	陝西歷史博物館
110	狩獵紋高足銀杯	唐	陝西西安市何家村唐代金銀器窖藏	陝西歷史博物館
111	仕女狩獵紋八瓣銀杯	唐	陝西西安市何家村唐代金銀器窖藏	陝西歷史博物館
112	蓮花鴛鴦紋銀耳杯	唐	陝西西安市何家村唐代金銀器窖藏	陝西歷史博物館
113	刻花赤金碗	唐	陝西西安市何家村唐代金銀器窖藏	陝西歷史博物館
114	纏枝花龍鳳紋銀碗	唐	陝西西安市何家村唐代金銀器窖藏	陝西歷史博物館
115	鎏金雙獅紋銀碗	唐	陝西西安市何家村唐代金銀器窖藏	陝西歷史博物館
116	鎏金鏨花花鳥紋銀碗	唐	陝西西安市何家村唐代金銀器窖藏	陝西歷史博物館
116	鎏金鏨花銀蓋碗	唐	陝西西安市何家村唐代金銀器窖藏	陝西歷史博物館
117	鎏金鏨花銀蓋碗	唐	陝西西安市何家村唐代金銀器窖藏	陝西歷史博物館
118	鎏金鏨花牡丹鸞鳥紋銀匜	唐	陝西西安市何家村唐代金銀器窖藏	陝西歷史博物館
118	鎏金熊紋銀盤	唐	陝西西安市何家村唐代金銀器窖藏	陝西歷史博物館
119	桃形龜紋銀盤	唐	陝西西安市何家村唐代金銀器窖藏	陝西歷史博物館
119	鎏金鸞鳥紋銀盤	唐	陝西西安市何家村唐代金銀器窖藏	陝西歷史博物館
120	鎏金神獸紋銀盤	唐	陝西西安市何家村唐代金銀器窖藏	陝西歷史博物館
121	鎏金雙桃形雙狐紋銀盤	唐	陝西西安市何家村唐代金銀器窖藏	陝西歷史博物館
122	鎏金鏨花翼獸紋銀盒	唐	陝西西安市何家村唐代金銀器窖藏	陝西歷史博物館
123	鎏金鏨花蔓草紋銀盒	唐	陝西西安市何家村唐代金銀器窖藏	陝西歷史博物館
124	鎏金串枝花銀盒	唐	陝西西安市何家村唐代金銀器窖藏	陝西歷史博物館
124	帶蓋銀藥盒	唐	陝西西安市何家村唐代金銀器窖藏	中國國家博物館
125	鎏金舞馬銜杯紋銀壺	唐	陝西西安市何家村唐代金銀器窖藏	陝西歷史博物館
126	鎏金鏨花鸚鵡紋銀罐	唐	陝西西安市何家村唐代金銀器窖藏	陝西歷史博物館
127	獅子捲草紋金鐺	唐	陝西西安市何家村唐代金銀器窖藏	陝西歷史博物館
128	五足三層銀熏爐	唐	陝西西安市何家村唐代金銀器窖藏	陝西歷史博物館
129	鎏金鏨花鸞鳳紋銀盒	唐	陝西西安市何家村唐代金銀器窖藏	陝西歷史博物館
129	赤金龍	唐	陝西西安市何家村唐代金銀器窖藏	陝西歷史博物館
130	花鳥蓮瓣紋高足銀杯	唐	陝西西安市韓森寨	陝西歷史博物館
130	蔓草花鳥紋銀杯	唐	陝西西安市韓森寨	陝西歷史博物館

頁碼	名稱	時代	發現地	收藏地
131	黄鸝折枝花銀盤	唐	陝西西安市西北工業大學	陝西省西安市文物保護考古所
131	雙魚紋銀盤	唐	陝西西安市西北工業大學	陝西省西安市文物保護考古所
132	鎏金石榴花紋三足銀壺	唐	陝西西安市國棉五廠65號墓	陝西省考古研究院
133	鎏金蓮瓣紋三足銀盒	唐	陝西西安市國棉五廠65號墓	陝西省考古研究院
133	荷葉鴛鴦紋銀盒	唐	陝西西安市國棉五廠29號墓	陝西省考古研究院
134	鎏金卧鹿紋銀盒	唐	陝西西安市國棉五廠65號墓	陝西省考古研究院
134	鎏金鴻雁鴛鴦紋銀蚌盒	唐	陝西西安市國棉五廠65號墓	陝西省考古研究院
135	鎏金鴛鴦銜綬紋銀蚌盒	唐	陝西西安市國棉五廠29號墓	陝西省考古研究院
135	鴻雁銜綬紋銀則	唐	陝西西安市國棉五廠29號墓	陝西省考古研究院
136	仕女狩獵紋八曲帶柄銀杯	唐	陝西西安市城建局	陝西省西安市文物保護考古所
137	鎏金獅紋三足銀盤	唐	陝西西安市	中國國家博物館
138	鎏金鏨花鸞鳳紋銀盤	唐	陝西西安市坑底村	陝西歷史博物館
138	鎏金團花紋銀唾壺	唐	陝西西安市灞橋區新築鄉	陝西省西安市文物保護考古所
139	摩羯紋金長杯	唐	陝西西安市太乙路	陝西歷史博物館
139	鴻雁折枝花紋銀杯	唐	陝西西安市長安區南里王村韋洵墓	陝西省考古研究院
140	銀椁	唐	陝西西安市臨潼區新豐鎮慶山寺遺址	陝西省西安市臨潼區博物館
141	金鳳凰	唐	陝西西安市郭家灘	陝西省西安市文物保護考古所
142	金鴻雁	唐	陝西西安市郭家灘	陝西省西安市文物保護考古所
142	金龍	唐	陝西西安市郭家灘	陝西省西安市文物保護考古所
143	金樹	唐	陝西西安市郭家灘	陝西省西安市文物保護考古所
144	銀鏤勺	唐	陝西西安市唐光啓宫遺址	中國國家博物館
144	鎏金銀簪	唐	陝西西安市電纜廠	陝西省西安市文物局
145	金花飾	唐	陝西西安市	陝西省西安市文物局
146	鴻雁蔓草紋金執壺	唐	陝西咸陽市西北醫療器械廠	陝西省咸陽博物館
147	金頭飾	唐	陝西咸陽市國際機場賀若氏墓	陝西省考古研究院
148	雙鵲戲荷紋金梳背	唐	陝西咸陽市國際機場賀若氏墓	陝西省考古研究院
148	雙龍戲珠金手鐲	唐	陝西咸陽市唐墓	陝西省咸陽市文物保護中心
149	八重寶函	唐	陝西扶風縣法門寺	陝西省法門寺博物館
150	鎏金四天王盝頂銀寶函	唐	陝西扶風縣法門寺	陝西省法門寺博物館
152	鎏金如來説法盝頂銀寶函	唐	陝西扶風縣法門寺	陝西省法門寺博物館
154	六臂觀音盝頂金寶函	唐	陝西扶風縣法門寺	陝西省法門寺博物館
155	金筐寶鈿珍珠裝盝頂金寶函	唐	陝西扶風縣法門寺	陝西省法門寺博物館
156	寶珠頂單檐四門金塔	唐	陝西扶風縣法門寺	陝西省法門寺博物館

頁碼	名稱	時代	發現地	收藏地
156	鎏金金剛界大曼荼羅成身會造像銀函	唐	陝西扶風縣法門寺	陝西省法門寺博物館
157	智慧輪盝頂金函	唐	陝西扶風縣法門寺	陝西省法門寺博物館
157	素面盝頂銀函	唐	陝西扶風縣法門寺	陝西省法門寺博物館
158	鎏金迦陵頻伽鳥紋銀棺	唐	陝西扶風縣法門寺	陝西省法門寺博物館
158	鎏金帶釧面三鈷杵紋銀釧	唐	陝西扶風縣法門寺	陝西省法門寺博物館
159	鎏金十字三鈷杵紋銀閼伽瓶	唐	陝西扶風縣法門寺	陝西省法門寺博物館
160	鎏金迎真身十二環銀錫杖	唐	陝西扶風縣法門寺	陝西省法門寺博物館
161	雙輪十二環金錫杖	唐	陝西扶風縣法門寺	陝西省法門寺博物館
162	銀芙蕖	唐	陝西扶風縣法門寺	陝西省法門寺博物館
163	鎏金銀如意	唐	陝西扶風縣法門寺	陝西省法門寺博物館
163	鎏金壼門座波羅子	唐	陝西扶風縣法門寺	陝西省法門寺博物館
164	鎏金菱弧形雙獅紋銀方盒	唐	陝西扶風縣法門寺	陝西省法門寺博物館
165	鎏金雙鳳銜綬紋銀方盒	唐	陝西扶風縣法門寺	陝西省法門寺博物館
165	鎏金飛天仙鶴紋壼門座銀茶羅子	唐	陝西扶風縣法門寺	陝西省法門寺博物館
166	鎏金鴻雁流雲紋茶碾子及銀碢軸	唐	陝西扶風縣法門寺	陝西省法門寺博物館
166	鎏金龜形銀盒	唐	陝西扶風縣法門寺	陝西省法門寺博物館
167	鎏金鴻雁金錢紋銀籠子	唐	陝西扶風縣法門寺	陝西省法門寺博物館
168	金銀絲編結提籠	唐	陝西扶風縣法門寺	陝西省法門寺博物館
169	魚龍紋荷葉形蓋三足銀鹽臺	唐	陝西扶風縣法門寺	陝西省法門寺博物館
170	鎏金十字折枝花圈足銀碟	唐	陝西扶風縣法門寺	陝西省法門寺博物館
171	素面銀風爐	唐	陝西扶風縣法門寺	陝西省法門寺博物館
172	鎏金銀香囊	唐	陝西扶風縣法門寺	陝西省法門寺博物館
173	鎏金人物圖銀香寶子	唐	陝西扶風縣法門寺	陝西省法門寺博物館
174	鎏金蓮花卧龜紋銀熏爐	唐	陝西扶風縣法門寺	陝西省法門寺博物館
176	鎏金雙雁紋海棠形銀盒	唐	陝西扶風縣法門寺	陝西省法門寺博物館
176	鎏金仰蓮荷葉紋銀碗	唐	陝西扶風縣法門寺	陝西省法門寺博物館
177	鎏金鴛鴦團花紋雙耳大銀盆	唐	陝西扶風縣法門寺	陝西省法門寺博物館
178	鎏金花鳥紋銀碗	唐	陝西	中國國家博物館
178	狩獵紋六瓣銀脚杯	唐		日本神户白鶴美術館
179	狩獵紋銀壺	唐		日本奈良正倉院
180	鎏金雙魚紋四曲銀杯和杯托	唐	河南洛陽市伊川杜溝村唐齊國太夫人墓	河南省洛陽博物館
181	鎏金菱花形鹿紋三足銀盤	唐	河北寬城滿族自治縣大野鷄峪村	河北省博物館
182	銀執壺	唐	河北寬城滿族自治縣大野鷄峪村	河北省博物館

頁碼	名稱	時代	發現地	收藏地
182	鎏金銀塔	唐	河北定州市静志寺	河北省定州市博物館
183	八卦紋龜形銀盒	唐	山西繁峙縣金山鋪	山西省忻州市博物館
184	蓮瓣紋銀碗	唐	甘肅武威市凉州區南營青嘴灣武氏墓	甘肅省武威市博物館
185	鑲緑松石金壺	唐	甘肅肅南裕固族自治縣西水鄉大長嶺	甘肅省肅南縣博物館
185	龍紋金牌飾	唐	甘肅榆中縣朱家灣村	甘肅省榆中縣博物館
186	金棺銀椁	唐	甘肅涇川縣大雲寺	甘肅省博物館
187	銀鳳凰	唐		甘肅省慶陽市博物館
187	動物紋圓形金飾	唐	寧夏固原市開城鎮王澇壩村史道德墓	寧夏回族自治區固原博物館
187	獸面金飾	唐	寧夏固原市開城鎮王澇壩村史道德墓	寧夏回族自治區固原博物館
188	金覆面	唐	寧夏固原市開城鎮王澇壩村史道德墓	寧夏回族自治區固原博物館
189	鎏金雙魚形銀壺	唐	内蒙古喀喇沁旗錦山鎮窖藏	内蒙古自治區喀喇沁旗博物館
190	鎏金獅紋銀盤	唐	内蒙古喀喇沁旗錦山鎮窖藏	内蒙古自治區喀喇沁旗博物館
191	鎏金卧鹿團花紋銀盤	唐	内蒙古喀喇沁旗錦山鎮窖藏	内蒙古自治區喀喇沁旗博物館
192	鎏金魚龍紋銀盤	唐	内蒙古喀喇沁旗錦山鎮窖藏	内蒙古博物院
193	鎏金猞猁紋銀盤	唐	内蒙古敖漢旗李家營子1號唐墓	内蒙古自治區敖漢旗博物館
193	銀執壺	唐	内蒙古敖漢旗李家營子1號唐墓	内蒙古博物院
194	鎏金海棠形摩羯紋銀杯	唐	内蒙古和林格爾縣	内蒙古博物院
194	鰐魚紋金冠飾	唐	内蒙古土默特左旗水磨溝	内蒙古博物院
195	摩羯紋鎏金銀盆	唐	内蒙古鄂爾多斯市	内蒙古自治區鄂爾多斯博物館
195	銀龍飾	唐	内蒙古烏蘭察布市	内蒙古自治區烏蘭察布市博物館
196	狩獵紋金蹀躞帶	唐	内蒙古蘇尼特右旗布圖木吉	内蒙古博物院
198	金帶飾	唐	吉林和龍市八家子2號墓	吉林省博物院
199	鎏金鸚鵡紋銀盒	唐	江蘇鎮江市丹徒區丁卯橋唐代窖藏	江蘇省鎮江博物館
200	四魚紋菱形銀盒	唐	江蘇鎮江市丹徒區丁卯橋唐代窖藏	江蘇省鎮江博物館
200	蝴蝶紋菱形銀盒	唐	江蘇鎮江市丹徒區丁卯橋唐代窖藏	江蘇省鎮江博物館
201	鎏金人物紋銀小瓶	唐	江蘇鎮江市丹徒區丁卯橋唐代窖藏	江蘇省鎮江博物館
202	鎏金雙鸞戲珠紋菱形銀盤	唐	江蘇鎮江市丹徒區丁卯橋唐代窖藏	江蘇省鎮江博物館
202	鎏金半球形銀器蓋	唐	江蘇鎮江市丹徒區丁卯橋唐代窖藏	江蘇省鎮江博物館
203	荷葉形銀器蓋	唐	江蘇鎮江市丹徒區丁卯橋唐代窖藏	江蘇省鎮江博物館
204	鎏金論語玉燭銀酒令具	唐	江蘇鎮江市丹徒區丁卯橋唐代窖藏	江蘇省鎮江博物館
205	金棺銀椁	唐	江蘇鎮江市北固山甘露寺	江蘇省鎮江博物館
206	銀函	唐	江蘇鎮江市北固山甘露寺	江蘇省鎮江博物館
206	金鏨花櫛	唐	江蘇揚州市三元路唐代窖藏	江蘇省鎮江博物館
207	龍獅紋四足銀蓋罐	唐	浙江臨安市唐水邱氏墓	浙江省臨安市文物館

頁碼	名稱	時代	發現地	收藏地
208	高足銀杯	唐	浙江臨安市唐水邱氏墓	浙江省臨安市文物館
208	五色塔模型舍利盒	南詔	雲南大理市崇聖寺	雲南省博物館
209	金藤織	南詔	雲南大理市崇聖寺	雲南省博物館
210	四蝶銀步摇	五代十國・南唐	安徽合肥市原農學院南唐湯氏墓	安徽省博物館
210	銀鑲玉步摇	五代十國・南唐	安徽合肥市原農學院南唐湯氏墓	安徽省博物館

金 銀 器

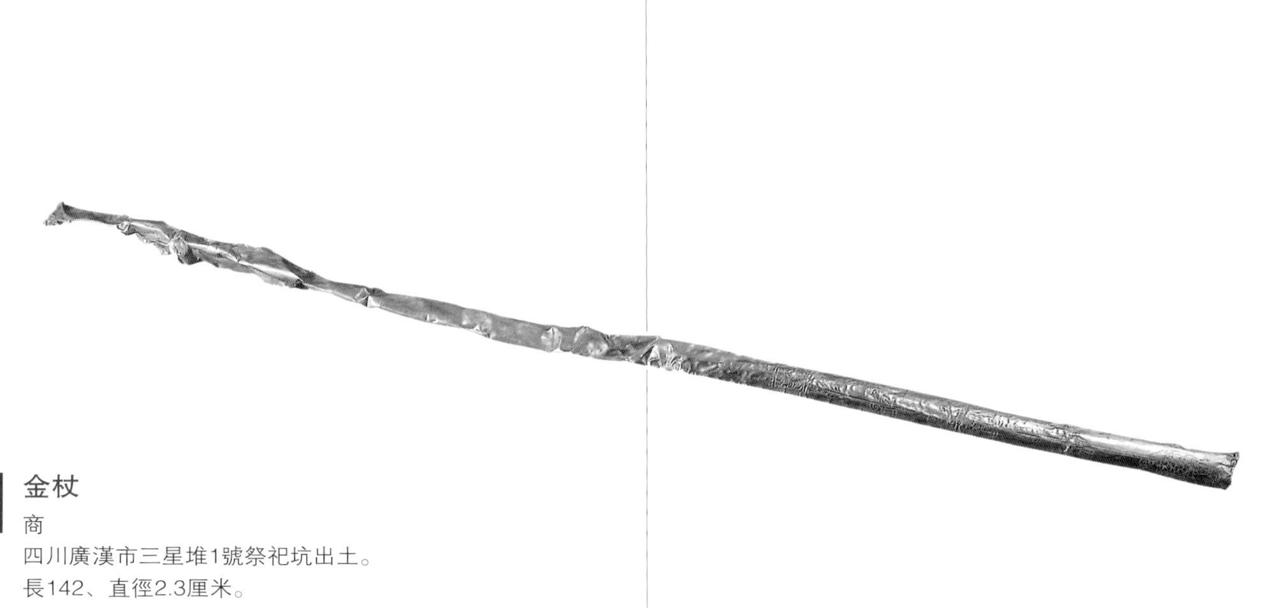

金杖

商

四川廣漢市三星堆1號祭祀坑出土。

長142、直徑2.3厘米。

金杖係以純金皮包捲木芯而成，木芯已炭化，杖上有錘鍱的人頭、鳥、魚等精美花紋圖案。此杖的出土對研究古代冶金史和蜀族祭祀禮儀具有重大意義。

現藏四川省三星堆博物館。

金杖局部之一

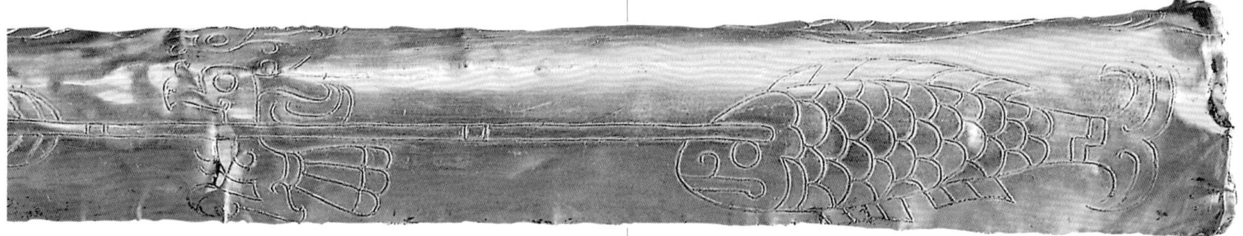

金杖局部之二

虎形金箔飾

商
四川廣漢市三星堆1號祭祀坑出土。
高6.7、通長11.6厘米。
係用金箔錘鍱成型。虎作奔跑狀，眼部鏤空，通身壓印“目”字形虎斑紋。
現藏四川省三星堆博物館。

四叉形金箔飾

商
四川廣漢市三星堆2號祭祀坑出土。
高9.4、寬6.9厘米。
器物用長方形金箔鏨成尖角四叉形，另一端平齊。
現藏四川省三星堆博物館。

銅像金面

商
四川廣漢市三星堆1號祭祀坑出土。
像高42.5、寬19.6厘米。
金箔貼附于面部及耳部，但頭後部没有。
現藏四川省文物考古研究院。

銅像金面側面

金笄

商

北京平谷區劉家河商墓出土。

長27.7、頭寬2.9厘米。

鑄造成型，截面爲鈍三角形，尾端有一小榫狀結構，出土時已殘斷。

現藏首都博物館。

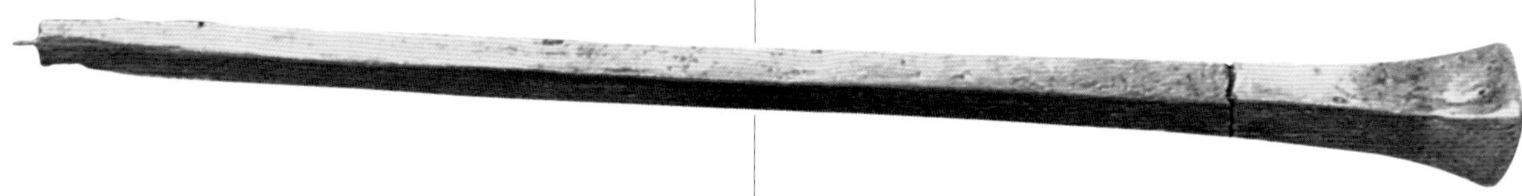

金耳環

商

北京平谷區劉家河商墓出土。

通高3.4、墜部直徑2.2厘米。

墜部呈喇叭狀，環上部彎曲并越來越細。

現藏首都博物館。

金臂釧

商

北京平谷區劉家河商墓出土。

截面直徑0.3、釧直徑12.5厘米。

係由金條彎曲而成。

現藏首都博物館。

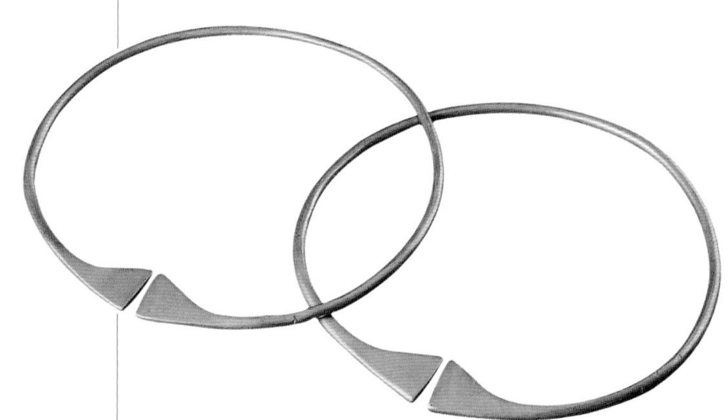

四鳥繞日金箔飾

商－西周

四川成都市青羊區金沙村出土。

直徑12.5厘米。

此金箔飾應是貼附于器物上的裝飾。內層紋飾爲十二條旋轉的光芒紋，象徵太陽。外層紋飾爲四隻相同的逆時針方向飛行的鳥。

現藏四川省成都市文物考古研究所。

金面罩

商－西周
四川成都市青羊區金沙村出土。
高3.74、寬4.92厘米。
面罩錘鍱而成，雙眼和口部鏤空。
現藏四川省成都市文物考古研究所。

金帶飾

西周
河南三門峽市虢國墓地出土。
圓環外徑3.7－4.35厘米。
大小共十二枚，皆爲鈑金燒鑄成型，鏤空獸面三角形飾一枚，鏨刻獸面紋飾三枚，凸弦紋圓環形飾七枚，凸弦紋方形飾一枚。
現藏河南省文物考古研究所。

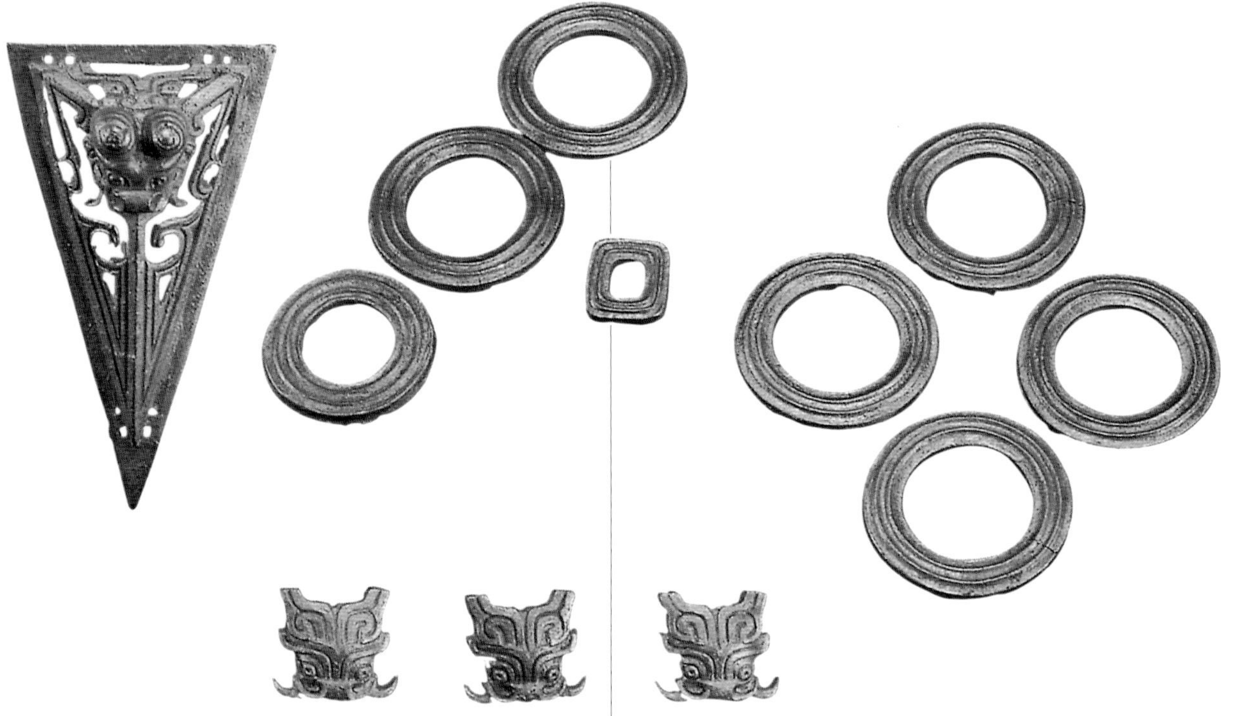

异獸形金飾

春秋
陝西鳳翔縣馬家莊出土。
長3.7、寬2.5厘米。
鑄造成型，怪獸呈匍匐狀，有雙翼，眼睛突出，角後曲下捲，背面有兩根鉚釘。
現藏陝西省考古研究院。

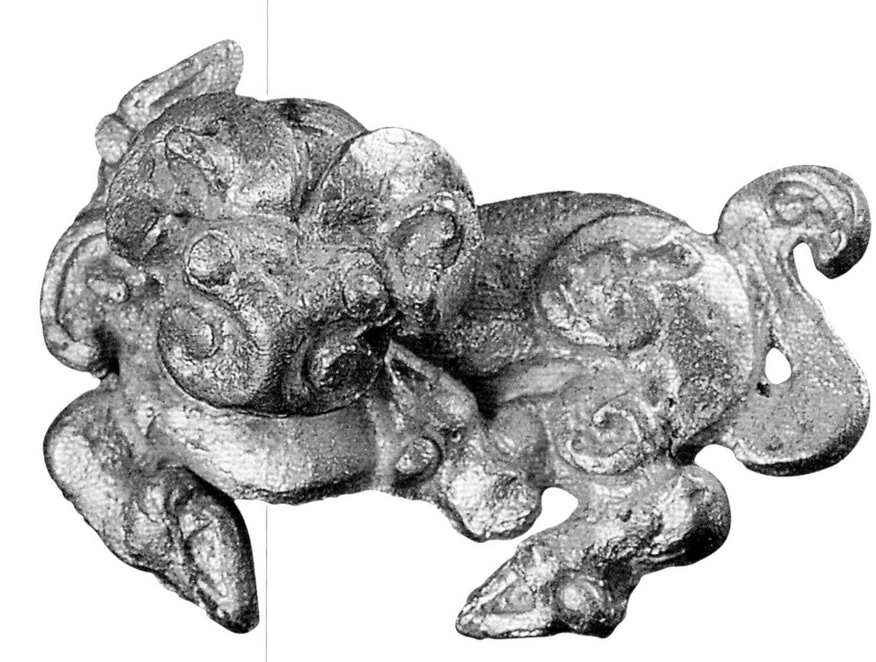

金方泡

春秋
陝西鳳翔縣秦景公墓出土。
長3.7、寬3厘米。
共二件，大小相同。器飾蟠螭紋。
現藏陝西歷史博物館。

獸面紋金方泡

春秋

陝西寶鷄市益門村2號墓出土。

左寬3.9、右寬3.5厘米。

兩件大同小异，正面紋飾爲蟠螭紋，獸鼻下有一三角形小獸首，器背有一道梁，其中一件表面鑲嵌多顆緑色料珠。

現藏陝西省寶鷄市考古工作隊。

水禽形金帶鈎

春秋

陝西寶鷄市益門村2號墓出土。

左高1.8、右高1.5厘米。

作鴨子回首狀。左側一隻頭頂鑲嵌緑松石，腹内有一柱狀鈎。右側一隻喙上有一對“S”形紋，背部有十四個孔眼，原鑲嵌物已脱落，腹内亦有柱狀鈎，底部有孔。

現藏陝西省寶鷄市考古工作隊。

金柄鐵劍

春秋

陝西寶鷄市益門村2號墓出土。

上長30.7、下長35.2厘米。

上劍首、格作溝槽式蟠螭紋，内嵌料珠，莖部素面。下劍劍柄滿飾陽綫蟠螭紋，内嵌綠松石和料珠。

現藏陝西省寶鷄市考古工作隊。

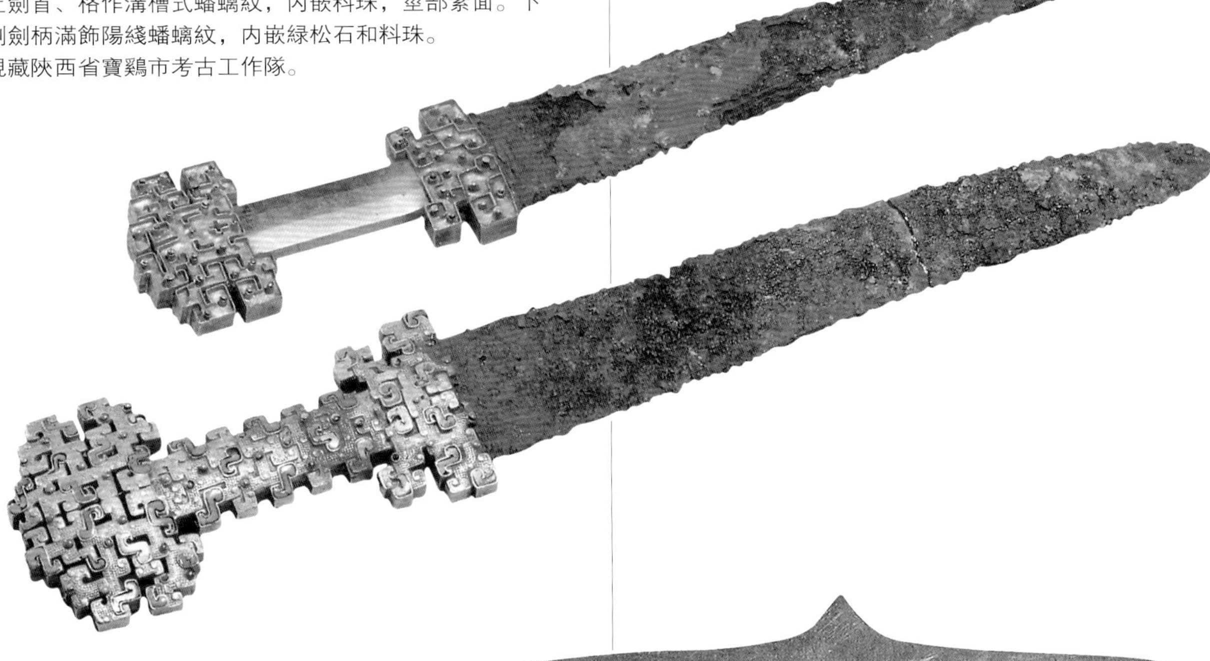

口唇紋鱗形金飾片

春秋

長11.7、寬8.6厘米。

呈長方形，中心有三角狀凸起。外層飾兩周不封閉口唇紋，内飾兩組重環式口唇紋。

現藏甘肅省博物館。

環形金箔飾

春秋

河南淅川縣城南丹江水庫西岸出土。

外徑26厘米。

上面刻有蟠螭紋。

現藏河南博物院。

馬形金牌飾

春秋

內蒙古寧城縣小城子出土。

長4.6、寬4.5厘米。

背面有兩橋形鈕，可佩戴。

現藏內蒙古自治區寧城博物館。

金帶鈎

戰國

湖北隨州市擂鼓墩曾侯乙墓出土。

長10厘米。

共四件。鑄造成型，狀似琵琶，通體光素無紋，鈎身下有一圓餅形鈕。

現藏湖北省博物館。

變形龍鳳紋金鎮

戰國

湖北隨州市擂鼓墩曾侯乙墓出土。

左高2.8、直徑9.5厘米，右高2.2、直徑7.1厘米。

共二件。形同器蓋，用途類似于今天的鎮紙，由頂部中心向外順序飾一周變形龍紋、重環紋、變形鳳紋、斜角雲紋和渦雲紋。

現藏湖北省博物館。

金盞與金勺

戰國

湖北隨州市擂鼓墩曾侯乙墓出土。

盞通高10.7、口徑15.1厘米，勺長13厘米。

金盞係合範澆鑄和焊接并用的方法製成，盞蓋與盞身裝飾蟠螭紋、綯紋及雲雷紋。此器不僅製作精湛，而且是目前已知的先秦金器中最大最重的一件。

現藏湖北省博物館。

雙龍首銀帶鈎

戰國

河南洛陽市澗西區出土。

高19.5、寬6.2厘米。

造型獨特。鈎身無紋飾，鈎柄爲龍形。

現藏河南省洛陽市文物工作隊。

金鐏

戰國

河北平山縣中山王墓出土。

高21.3厘米。

上腹部裝飾一龍一鳳，以藍琉璃鑲睛，鳳銀鑲雙翼，龍銀鑲雙角。造型華麗，爲禮儀用器。

現藏河北省文物研究所。

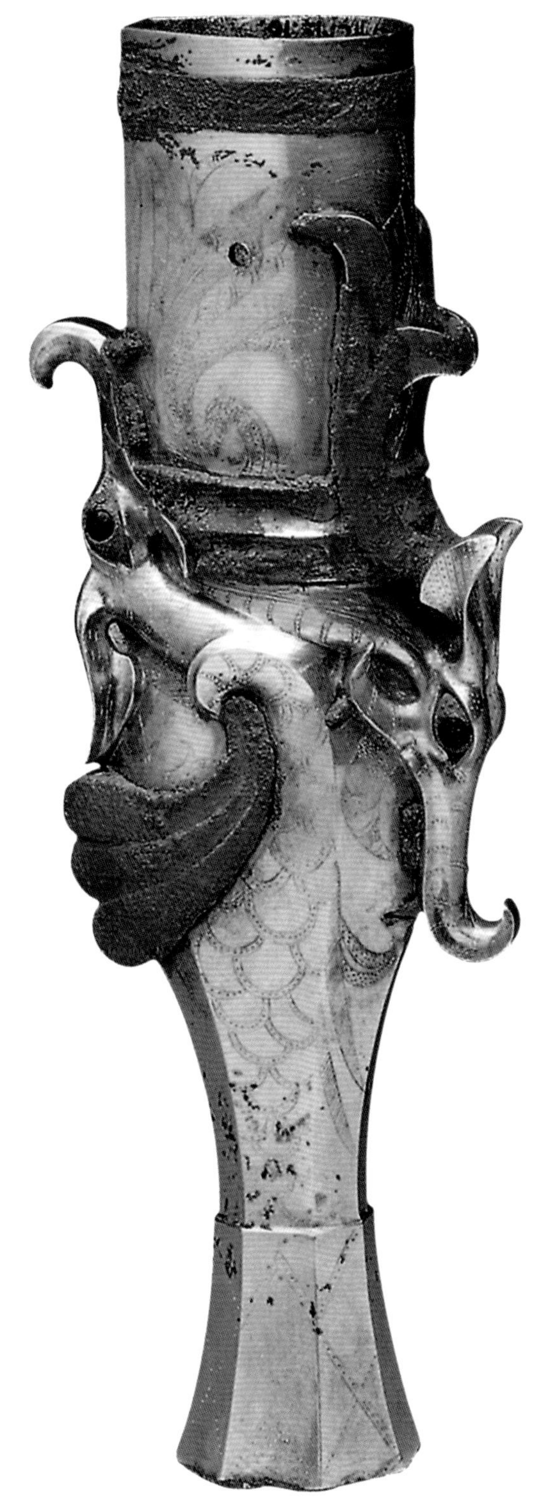

雙環耳金杯

戰國

湖北隨州市擂鼓墩曾侯乙墓出土。

高10.6、口徑8.1厘米。

鼓形蓋，略大于杯口，邊沿内有三個等距離的内卡，通體光素無紋。

現藏湖北省博物館。

包金鑲玉嵌玻璃銀帶鈎

戰國

河南輝縣市固圍村1號墓出土。

長18.4、中寬4.9厘米。

通體鎏金，鈎首爲漢白玉琢製，呈雁首形，鈎身浮雕有獸首、夔龍和鸚鵡紋，上嵌穀紋玉玦和玻璃彩珠。

現藏中國國家博物館。

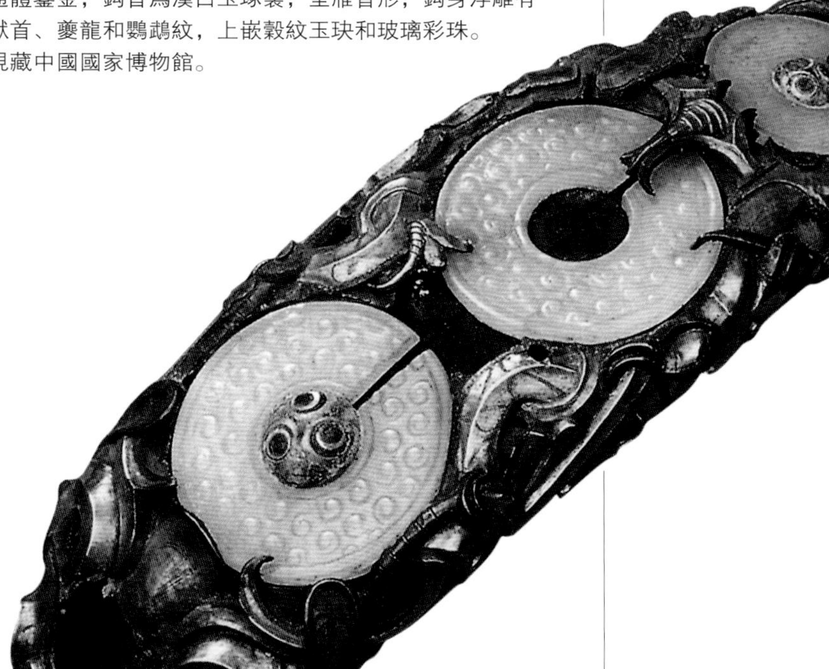

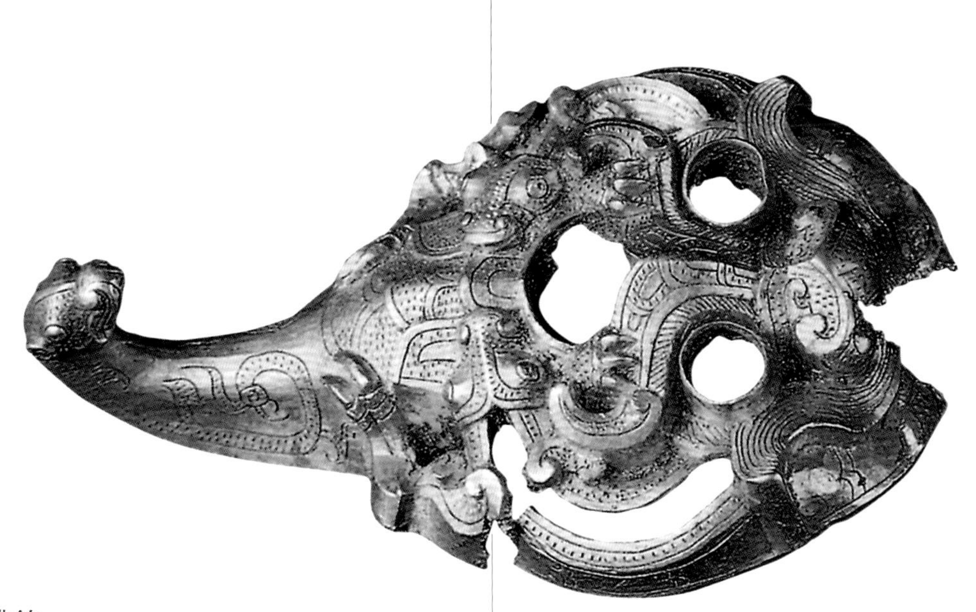

交龍紋金帶鈎

戰國
江蘇漣水縣三里墩出土。
長7厘米。
鈎身透雕獸面，鈎柄陰刻兩條夔龍。
現藏南京博物院。

鎏金銀帶鈎

戰國
江蘇漣水縣三里墩出土。
長12厘米。
鈎端呈獸首形，鈎身爲一獸面。
現藏南京博物院。

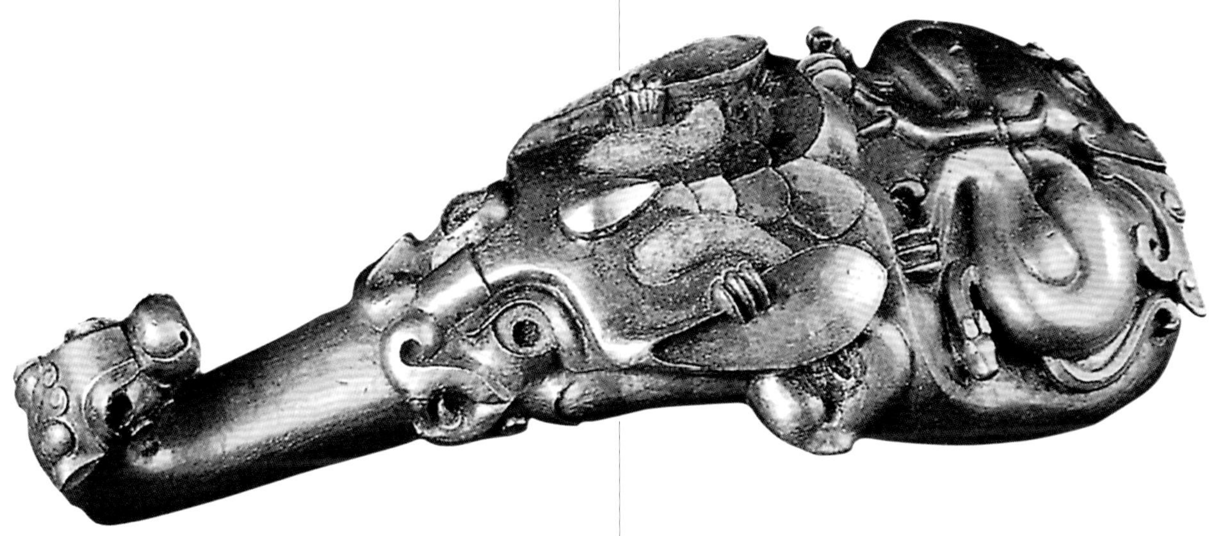

鎏金鏨花銀盤

戰國

山東淄博市窩托村西漢齊王劉襄墓陪葬坑出土。

高5.5、口徑37厘米。

口沿及內外腹壁鏨刻六組龍鳳紋圖案，內底鏨三條蟠龍。盤上刻銘文四組共四十九字。此盤是迄今所知唯一有戰國時期秦國刻款的紀年銀器。

現藏山東省淄博市博物館。

猿猴攀枝形銀帶鈎

戰國
山東曲阜市魯國故城遺址出土。
通高16.7厘米。
猿身貼金，雙目嵌料珠，作振臂回首攀枝狀。背面有一圓鈕。
現藏山東省曲阜市文物局。

銀雄鹿

戰國
陝西神木縣出土。
高8.5、身長10厘米。
鹿作俯卧狀。鹿身澆鑄成型，鹿角另鑄，插入鹿頭頂的兩個小孔内。
現藏陝西省神木縣文物管理委員會。

金怪獸

戰國

陝西神木縣出土。

通高11.5、長11厘米。

獸作低頭角抵狀，獸角分叉，每叉末端有一與怪獸頭類似的頭像，獸身遍飾凸雲紋。

現藏陝西省神木縣文物管理委員會。

武士頭像金飾

戰國

河北易縣燕下都30號墓出土。

高5.1厘米。

武士頭戴風帽。背部有“四兩十九朱二分分”銘文。

現藏河北省文物研究所。

動物紋金牌飾

戰國

河北易縣燕下都30號墓出土。

高11.6、寬7.6厘米。

牌飾正面飾牛、馬和龍形异獸等。

現藏河北省文物研究所。

浮雕動物紋半球形金牌飾

戰國
河北易縣燕下都30號墓出土。
高1.5、直徑4.8厘米。
牌飾半球形，上飾馬、牛和犬等動物紋樣。背面有“三兩十四朱半二分分”銘文。
現藏河北省文物研究所。

駱駝紋金牌飾

戰國

河北易縣燕下都30號墓出土。

直徑9.2厘米。

牌飾正面飾三頭卧伏的駱駝。背面有“十兩十九朱”銘文。

現藏河北省文物研究所。

金虎

戰國

遼寧凌源市三官甸子墓葬出土。

長5.6厘米。

正面凸起，背面有兩個半圓形小鈕。

現藏遼寧省博物館。

金鹿

戰國

遼寧凌源市三官甸子墓葬出土。

長4.8厘米。

用金片錘鍱而成，背面內凹，有半圓形小鈕兩個。

現藏遼寧省博物館。

玉耳金舟

戰國
浙江紹興市坡塘306號墓出土。
高6、口徑11.2–14.2厘米。
橢圓形，斂口，捲沿，通體光素，兩耳玉質，上刻捲雲紋。
現藏浙江省博物館。

鑲緑松石金耳墜

戰國
内蒙古杭錦旗阿魯柴登匈奴墓出土。
長8.2厘米。
金絲繞成耳環，下連耳墜。耳墜由包金緑松石和三葉金片連綴而成。
現藏内蒙古博物院。

匈奴金冠飾

戰國

內蒙古杭錦旗阿魯柴登匈奴墓出土。

冠頂高7.1厘米，冠帶直徑16.5、周長60厘米。

冠頂上部爲傲立的雄鷹，下部的半球形面上浮雕四狼咬四羊圖案。冠帶飾髮辮紋，兩端接口處分別浮雕相對稱的虎、羊和馬圖案。

現藏內蒙古博物院。

匈奴金冠飾上部

虎咬牛金牌飾

戰國

内蒙古杭錦旗阿魯柴登匈奴墓出土。

長12.6厘米。

辮索紋外框，中間起脊，主體圖案是四隻猛虎噬咬一隻匍匐狀卧牛，牌飾四角及靠近邊框一側各有一孔。

現藏内蒙古博物院。

狼鹿紋銀牌飾

戰國

内蒙古杭錦旗阿魯柴登匈奴墓出土。

長4.5厘米。

共二件。狼張口露齒，尾上翹。狼身上有一鹿，頭下垂。

現藏内蒙古博物院。

鷹形金飾片

戰國
內蒙古杭錦旗阿魯柴登匈奴墓出土。
長3.2厘米。
共四件。頭頂、爪端及尾羽處有穿孔。
現藏內蒙古博物院。

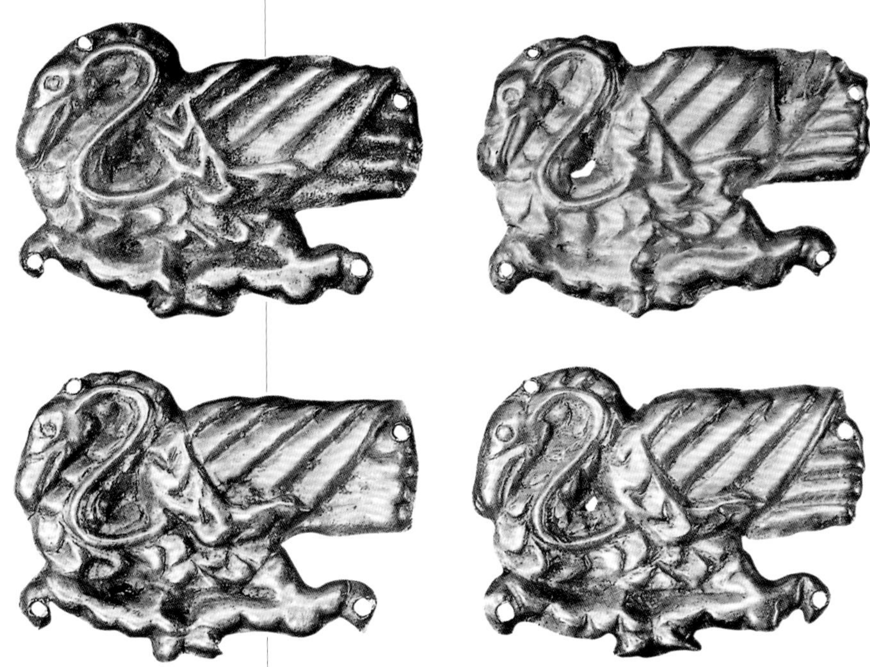

虎頭形銀飾

戰國
內蒙古杭錦旗阿魯柴登匈奴墓出土。
左高2.8、右高2厘米。
共二件。虎頭耳直立，雙目圓睜，張口咆哮，口部爲穿孔。
現藏內蒙古博物院。

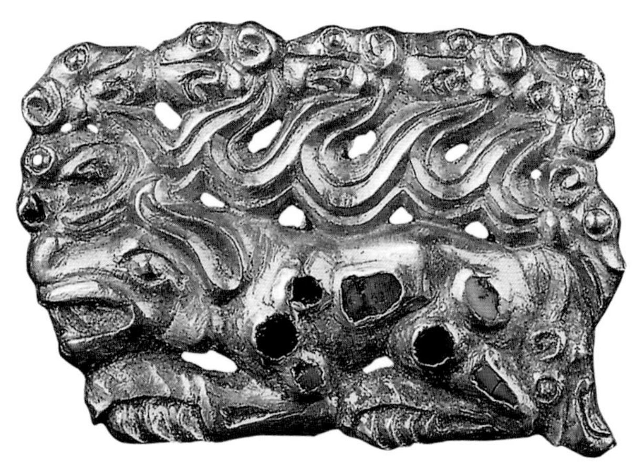

鑲寶石虎鳥紋金牌飾

戰國
内蒙古杭錦旗阿魯柴登匈奴墓出土。
長4.5、寬3.4厘米。
共二件。 一卧龍俯于虎背之上，龍身周圍繞有八隻鳥形圖案，虎身鑲嵌紅、緑寶石七塊。
現藏内蒙古博物院。

雙虎紋銀扣飾

戰國
内蒙古伊金霍洛旗石灰溝匈奴墓出土。
高1.3、長3.8、寬4.7厘米。
共二件。作兩虎相向狀，張開的兩虎口之間有一圓穿，似爲雙虎同銜。
現藏内蒙古自治區鄂爾多斯博物館。

虎噬鹿銀牌飾

戰國
内蒙古伊金霍洛旗石灰溝匈奴墓出土。
長10.4、寬4.7厘米。
牌飾作虎噬鹿形象，背面有雙鈕。
現藏内蒙古自治區鄂爾多斯博物館。

虎狼搏鬥紋金牌飾

戰國
内蒙古鄂爾多斯市東勝區塔拉壕鄉出土。
長13.8、寬7.9厘米。
牌飾作虎狼搏鬥狀，牌背面有一半環形鈕。
現藏内蒙古自治區鄂爾多斯博物館。

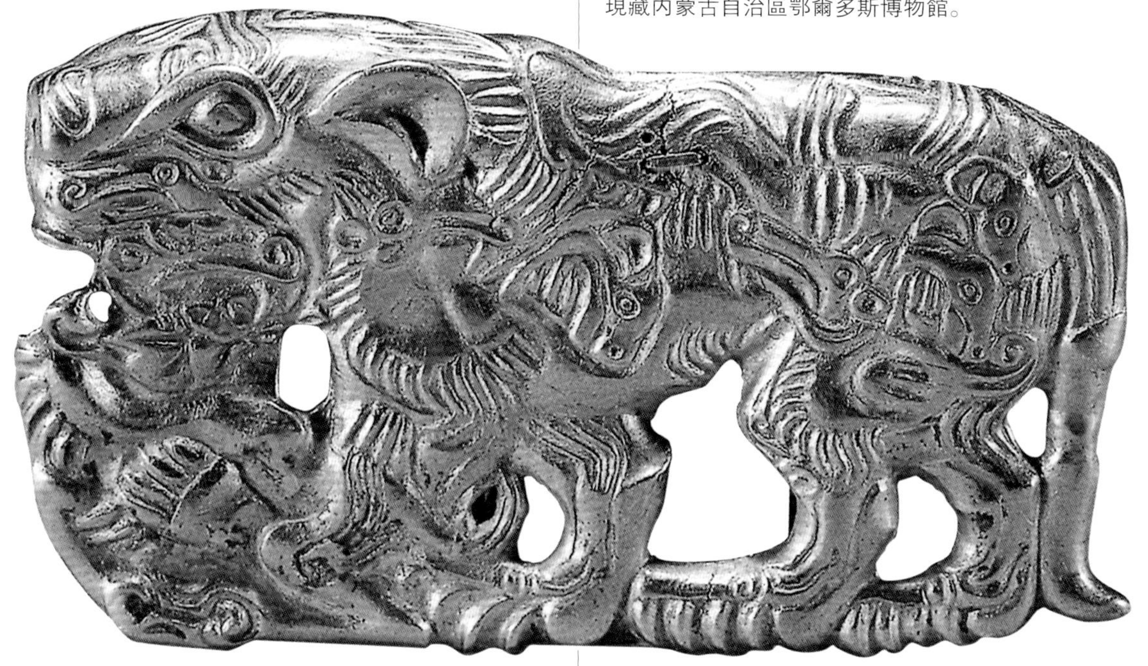

火炬形金飾件

戰國

内蒙古杭錦旗阿魯柴登匈奴墓出土。

高7.5厘米。

圓雕與透雕相結合，“丫”字形金柄上托一金火球，火球上接透雕火焰紋，象徵光明與希望。

現藏内蒙古文物考古研究所。

鷹首紋金飾片

戰國

甘肅清水縣劉坪村出土。

長6、寬5.5厘米。

中心凸起一圓，四角爲相對稱的鷹首。

現藏甘肅省清水縣博物館。

盤龍紋金飾片

戰國
甘肅清水縣劉坪村出土。
分別高5.3、5.7厘米。
共二件。兩條龍交叉盤繞，龍首一側飾兩條小龍，龍尾一側飾一對小虎。
現藏甘肅省博物館。

虎噬羊紋金飾片

戰國
甘肅清水縣劉坪村出土。
長8.5厘米。
一虎左向，環目，竪耳，弓頸垂尾，雙爪下抓一羊，張口咬噬。
現藏甘肅省清水縣博物館。

虎紋條形金飾

戰國

新疆托克遜縣阿拉溝30號匈奴墓出土。

長25.4、寬3.3厘米。

模壓錘鍱而成，上有二虎相對圖案。金飾兩端有用于聯綴的小孔，背部有黑色灰末。

現藏新疆維吾爾自治區博物館。

金卧虎

戰國

新疆新源縣康蘇鄉出土。

高3.2、長7.5厘米。

用金箔錘鍱而成，虎四肢蜷曲，尾部下垂。

現藏新疆維吾爾自治區博物館。

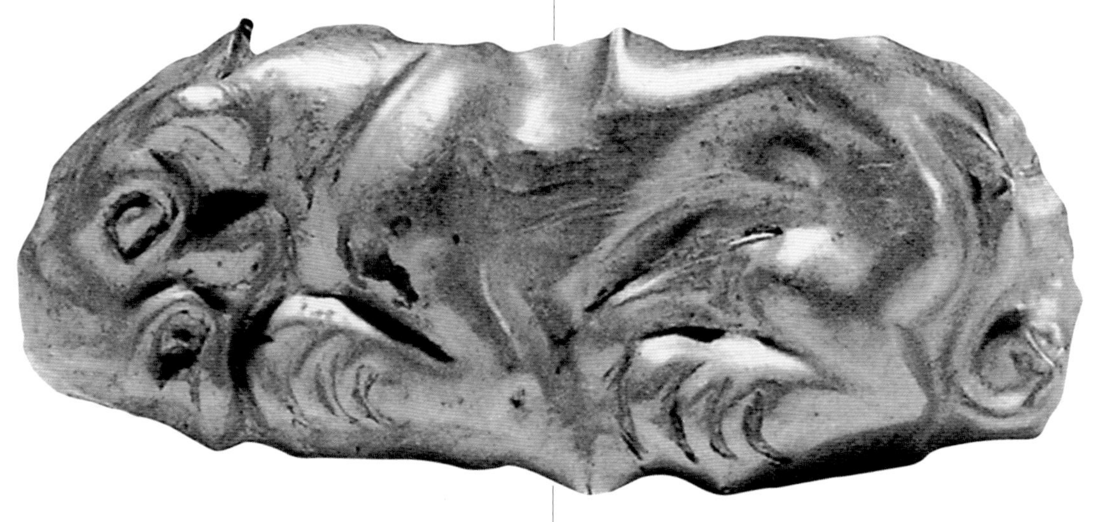

葡萄墜金耳環（右圖）

戰國
新疆伊犁哈薩克自治州特克斯一牧場墓地出土。
環徑1.3厘米。
墜部由八粒空心葡萄組成，造型新穎別致。
現藏新疆維吾爾自治區博物館。

獅形金牌飾

戰國
新疆托克遜縣阿拉溝30號匈奴墓出土。
長20、寬11厘米。
模壓錘鍱而成，獅呈俯卧狀。
現藏新疆維吾爾自治區博物館。

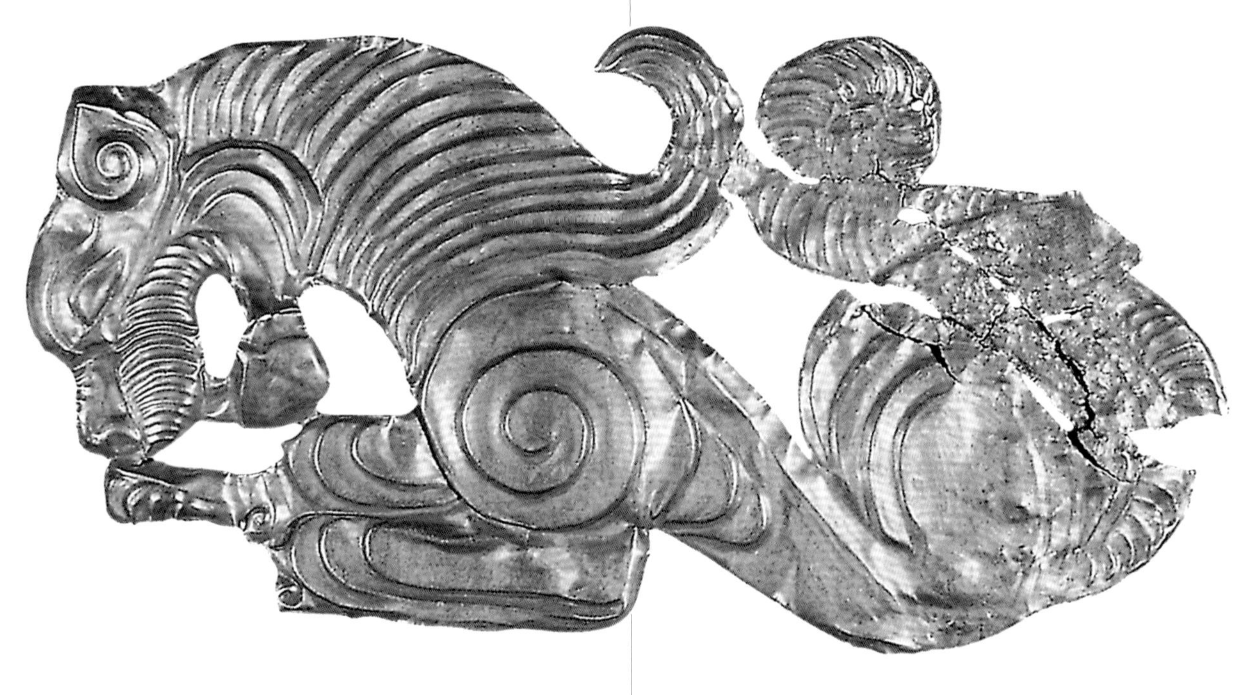

金虎紋圓形飾

戰國

新疆托克遜縣阿拉溝30號匈奴墓出土。

直徑約5.4厘米。

共出土八件，選二件。

用金片錘鍱而成，爲一蜷曲的卧虎圖案，具有高浮雕效果，邊緣不甚規整。

現藏新疆維吾爾自治區博物館。

金銀項圈

秦

陝西西安市臨潼區秦始皇陵兵馬俑銅車馬坑出土。

周長分别爲75、76.6厘米，管節外徑0.7厘米。

分别由四十二節金管節和四十二節銀管節相間組成，管與管之間焊接成一體，内部以銅圈爲芯。

現藏陝西省秦始皇兵馬俑博物館。

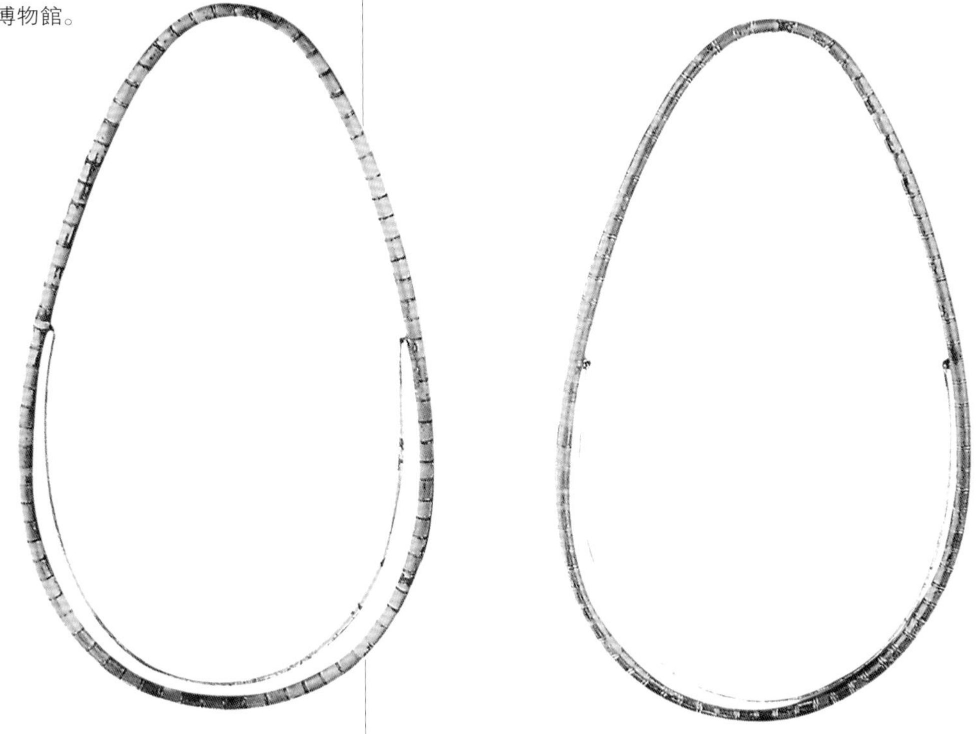

銀弩輒

秦

陝西西安市臨潼區秦始皇陵兵馬俑銅車馬坑出土。

通長12.3厘米。

含口上唇短而向下彎曲，下唇長而向上彎曲呈鴨首狀，輒的後部呈長方筒形，表面及左右兩側鑄有淺浮雕狀的流雲紋。

現藏陝西省秦始皇兵馬俑博物館。

金當盧

秦

陝西西安市臨潼區秦始皇陵兵馬俑銅車馬坑出土。

長9.6、最寬5厘米。

金質銅托，周圍飾一圈捲雲紋，中部爲淺浮雕虺紋，背面的銅托上有兩兩相對的四個鈕鼻。

現藏陝西省秦始皇兵馬俑博物館。

圓環形金飾件

秦

陝西西安市臨潼區秦始皇陵園出土。

外徑4.9厘米。

繞環一周有四十六個圓孔，并附雙耳。

現藏陝西省秦始皇兵馬俑博物館。

銀帶鈎

秦

陝西西安市臨潼區秦始皇陵園出土。
長3.5厘米。
鈎首呈鴨頭形，尾呈環狀，整體作“S”形。
現藏陝西省秦始皇兵馬俑博物館。

銀漏斗形器

西漢

河北滿城縣陵山中山靖王劉勝墓出土。
高5.2、口徑3.8厘米。
尖底作漏，可能爲醫療用具。
現藏河北省博物館。

鎏金銀鋪首

西漢

河北滿城縣陵山中山靖王劉勝墓出土。

通長12.2、鋪首寬7.3、環長7厘米。

鋪首做上下兩個不同的獸面，獸面兩側有蟠龍環繞，下面的獸面銜索狀雙連環，鋪首背面做一插釘。

現藏河北省博物館。

銀鋪首

西漢

河北滿城縣陵山中山靖王劉勝墓出土。

長19、寬14.9、環長12.9厘米。

通體透雕，由雙鳳雙龍組成，上部爲兩條對稱的蟠龍，中間爲龍首，銜雙鳳環，鳳身周圍有花紋纏繞。

現藏河北省博物館。

銀藥盒

西漢

河北滿城縣陵山中山靖王劉勝墓出土。

高3.5、口徑6.4厘米。

盒蓋呈桃形，通過子母口與器身扣合，可能爲醫療用注水器。

現藏河北省博物館。

金帶鈎

西漢

江蘇徐州市獅子山西漢楚王陵出土。

高2.9、長3.5厘米。

帶鈎爲魚龍形，屈體張口，盤卧在圓鈕之上，口内吐一長舌，向後彎曲。

現藏江蘇省徐州博物館。

銀盒

西漢
廣東廣州市象崗山南越王墓出土。
高12.1厘米。
盒扁圓，有圈足。盒身與盒蓋上飾輻射狀花瓣紋。
現藏廣東省廣州南越王墓博物館。

銀盆

西漢
河北鹿泉市高莊村常山憲王劉舜墓出土。
高8、口徑31、底徑16厘米。
通體光素，腹上鑿橫款“五官”二字。
現藏河北省鹿泉市文物保管所。

獸面金盔飾

西漢

河北邯鄲市鋼鐵總廠西區墓葬出土。

頂飾直徑4.7、泡飾直徑3.3－3.9厘米。

一組六件，由一盔纓座和五件獅面泡飾組成。盔纓座表面飾由“之”字紋和弧綫紋組成的四隻連體鳳鳥紋，泡飾中部壓印一猛獸，前爪各抓一羊頭。

現藏河北省邯鄲市文物保護研究所。

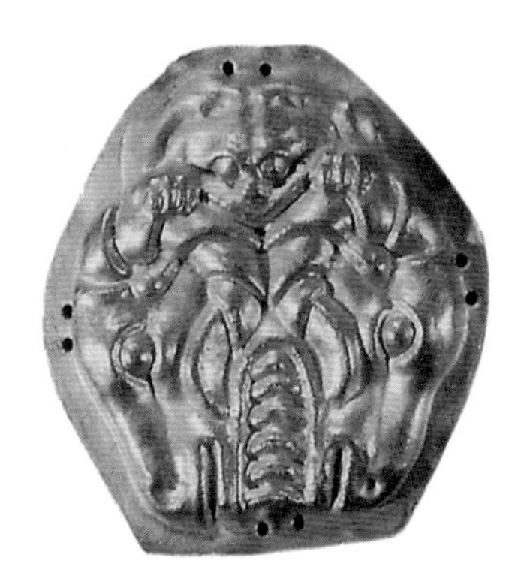

金當盧

西漢

山東章丘市棗園鎮洛莊出土。

長16.5、寬7.5厘米。

整體鏤空，紋飾爲一匹騰飛的駿馬。

現藏山東省濟南市博物館。

銀豆

西漢

山東淄博市窩托村西漢齊王劉襄墓陪葬坑出土。

高10.8、口徑11.4、足徑6.2厘米。

爲銀銅合製，器身及蓋爲銀製，蓋面鉚有三個銅獸鈕，足爲銅製，與器底鉚合，蓋内刻劃篆書“南朱”二字。

現藏山東省淄博市博物館。

金獸

西漢

江蘇盱眙縣南窑莊窖藏出土。

高10.2厘米，身長16、寬17.8厘米。

黄金鑄成，除眼睛和項圈外，全身布滿鏨成的斑點。體内中空，内壁陰刻隸體“黄六”二字。

現藏南京博物院。

馬蹄金

西漢
河北定州市中山懷王劉修墓出土。
長5.8、寬4.7、高3.7厘米。
頂部鑲嵌有玉片，沿部飾以三組花紋。
現藏河北省文物研究所。

麟趾金

西漢
河北定州市中山懷王劉修墓出土。
足底長4.7、寬1.5厘米，高3.3厘米。
頂部鑲嵌有玉片，沿部飾三組花紋。
現藏河北省文物研究所。

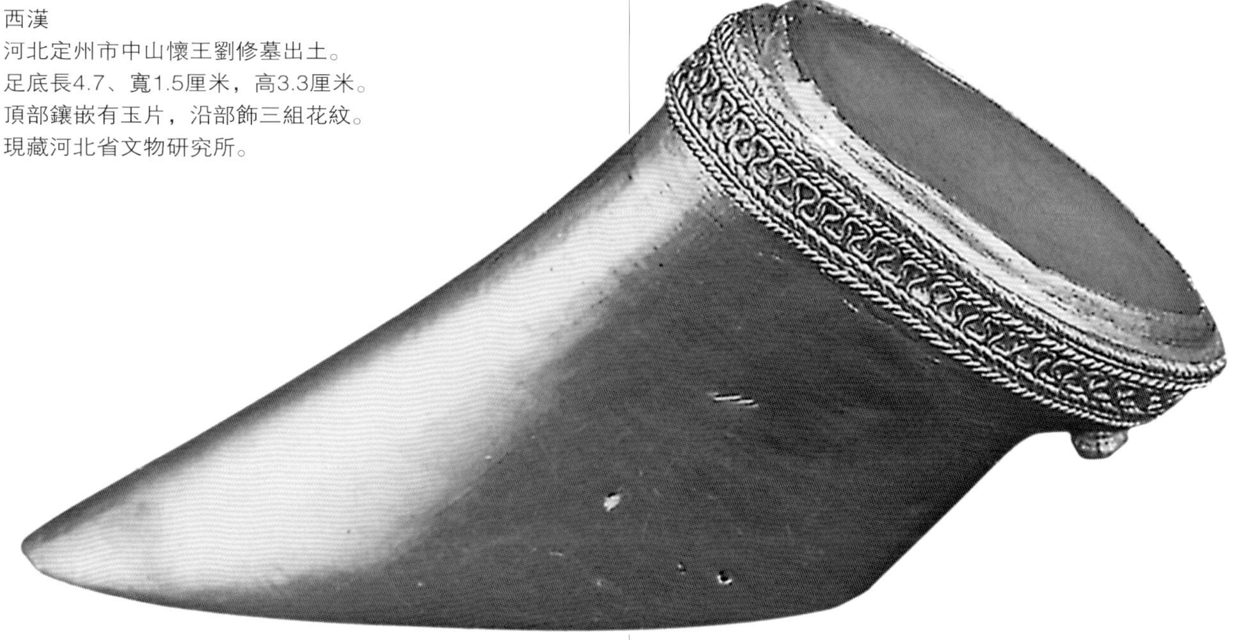

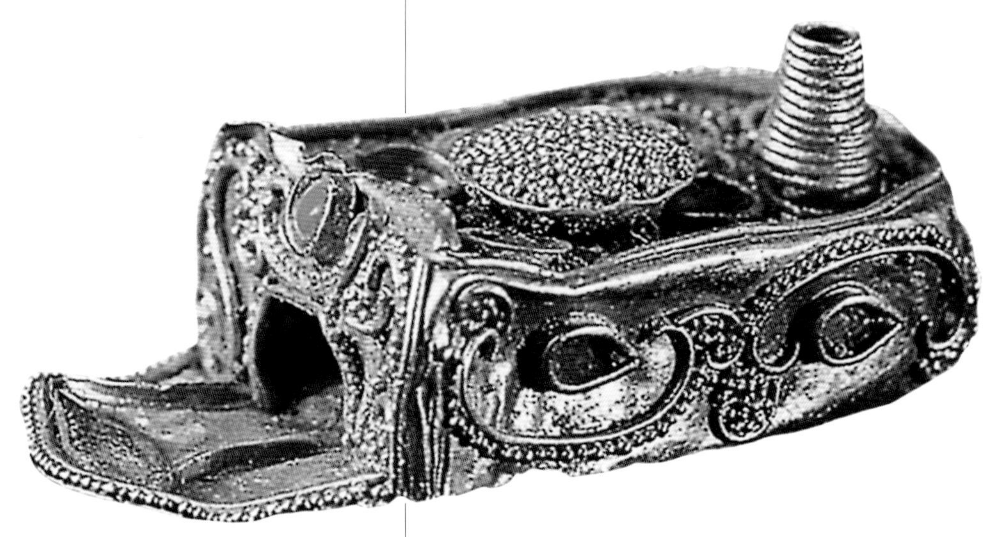

金竈

西漢

陝西西安市沙坡村出土。

通高1.1、長3、寬1.5厘米。

竈門、竈膛、灰盤、鍋、烟囱等一應俱全，真實地反映了當時民間爐竈的基本形式。金鍋内裝滿小金珠，象徵米飯，竈門上方、金鍋周圍鑲嵌紅綠寶石五塊。

現藏陝西省西安博物院。

“文帝行璽”金印

西漢

廣東廣州市象崗山南越王墓出土。

通高1.8、邊長3.1厘米。

圓雕龍形鈕，印文陰刻小篆“文帝行璽”四字。此印爲南越國第二代南越王所佩，是目前所見最大的西漢金印及最早的龍鈕印。

現藏廣東省廣州南越王墓博物館。

金帶扣

西漢

江蘇徐州市獅子山西漢楚王陵出土。

高6.2、寬13.4厘米。

共二件。鑄造成型。主紋爲二獸争噬一馬，背面有穿帶用的二竪繫。

現藏江蘇省徐州博物館。

包金卧羊帶飾

西漢

内蒙古準格爾旗西溝畔4號匈奴墓出土。

長11.7厘米。

用金片錘鍱而成，内包鐵質襯芯，背後有鈕，出土時已殘。

現藏内蒙古博物院。

包金花草紋帶飾

西漢

内蒙古準格爾旗西溝畔4號匈奴墓出土。

長9厘米。

錘鍱成型，表面錘鏨凸起花草紋，内包環狀鐵芯。

現藏内蒙古博物院。

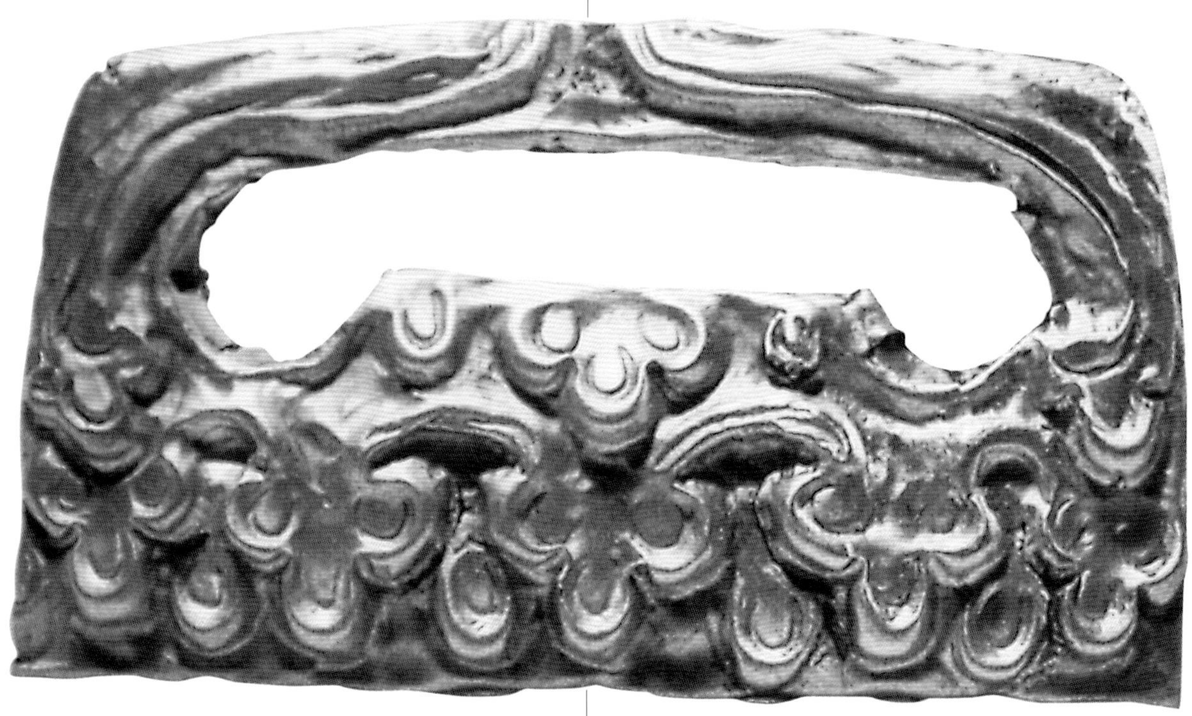

雙獸紋金牌飾

西漢

内蒙古準格爾旗西溝畔2號匈奴墓出土。

長13、寬10厘米。

長方形金板錘製而成，上面刻畫了猛虎與野豬猛烈撕咬的場面，靠近左邊框處有一小孔。牌背面刻有“一斤二兩廿朱少半”及“故寺豕虎三”等銘文。

現藏内蒙古自治區鄂爾多斯博物館。

怪獸紋金飾片

西漢

内蒙古準格爾旗西溝畔2號匈奴墓出土。

長9、寬6厘米。

飾卧姿怪獸，怪獸鷹喙，獸身，鹿角。

現藏内蒙古自治區鄂爾多斯博物館。

九龍紋金帶扣

西漢

新疆焉耆回族自治縣黑疙瘩遺址出土。

長9.8、寬6厘米。

這件帶扣采用錘鍱、模壓、鏨刻、抛光、掐絲焊接等多種工藝製成，龍身上多處鑲嵌小金珠及緑松石。

現藏新疆維吾爾自治區博物館。

嵌寶石金戒指

西漢
新疆昭蘇縣夏臺墓葬出土。
直徑2.2厘米。
錘鍱成型，以金珠構成紋飾。戒面嵌一顆紅寶石。
現藏新疆維吾爾自治區博物館。

金耳墜

西漢
吉林通榆縣興隆山墓葬出土。
長7.7厘米。
由金絲擰成，墜中部穿白玉管和緑玉管，底部穿紅瑪瑙，環部由一金葉和一彎鈎組成。
現藏吉林省博物院。

金飾片

西漢

雲南江川縣李家山古墓群出土。

直徑11厘米。

金飾片呈圓形，沿邊飾兩周凸起的乳釘紋，中部靠上的位置開一圓穿孔，周飾一圈乳釘，其下又模壓兩個對稱的大乳釘。

現藏雲南省江川縣李家山考古工作站。

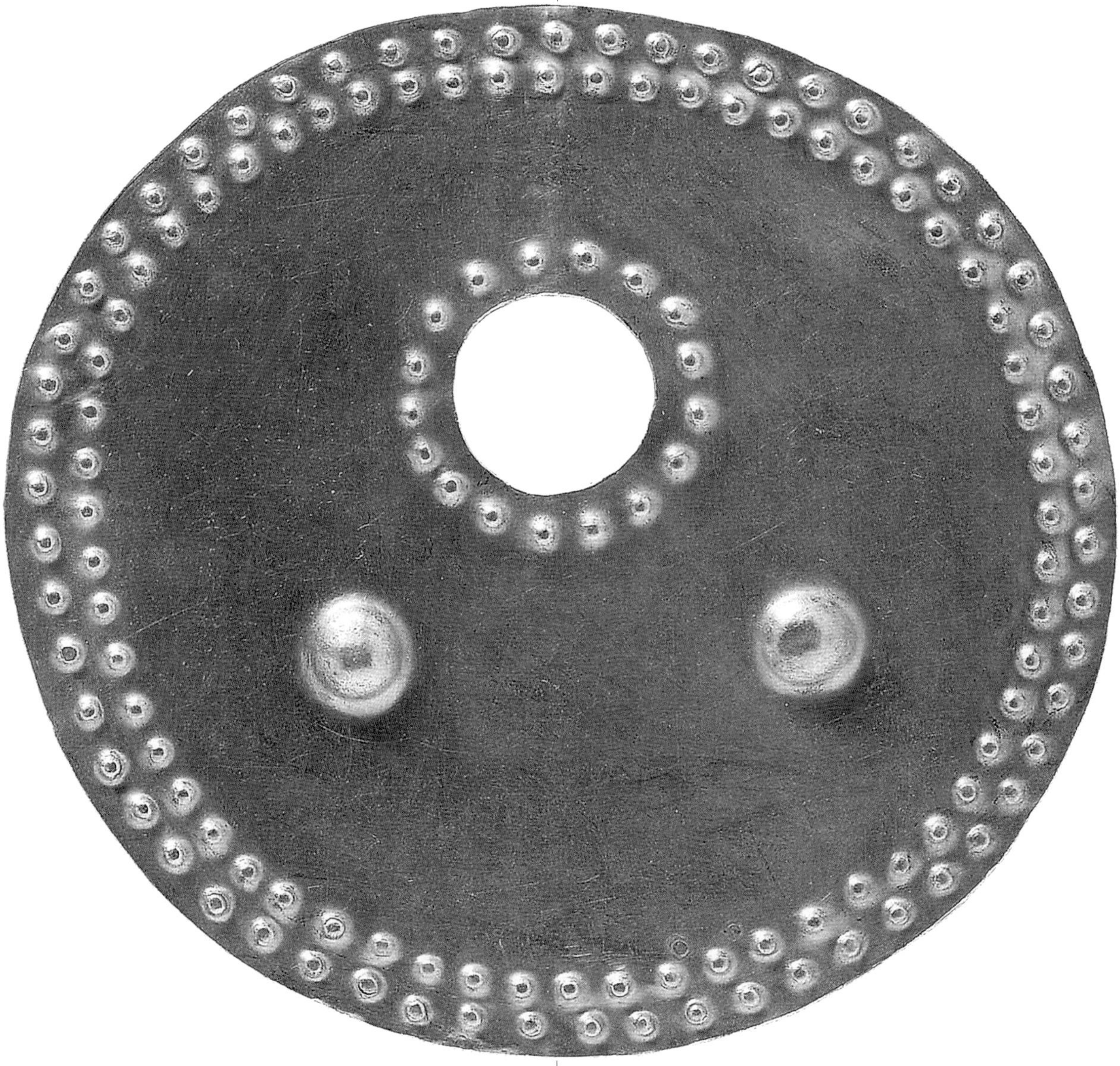

旋紋金飾

西漢

雲南江川縣李家山古墓群出土。

高3.2、寬6.4厘米。

共二件。此器用較粗的金絲彎曲盤繞成相連的兩個多重同心圓。

現藏雲南省江川縣李家山考古工作站。

杯形金飾

西漢

雲南江川縣李家山古墓群出土。

高2.8、直徑5.5厘米。

共二件。呈覆杯形，內側頂端有一橋形鈕，外側中部飾弦紋及捲雲紋。

現藏雲南省江川縣李家山考古工作站。

獸形金飾

西漢

雲南江川縣李家山古墓群出土。

高5.1、寬10.4厘米。

共二件。雙獸呈對卧狀，頭部變形，腰部彎曲，尾上捲，四肢蜷縮，身上飾凸起的綫紋及鉚釘紋。

現藏雲南省江川縣李家山考古工作站。

金扳指

西漢

雲南江川縣李家山古墓群出土。

高3-3.1、孔徑2.3-2.5厘米。

共二件。呈束腰狀，上小下大，近兩沿處各刻一道弦紋，中間飾人字紋、雲雷紋、點紋及圓圈紋等。

現藏雲南省江川縣李家山考古工作站。

金簪

西漢

雲南江川縣李家山古墓群出土。

長30.6厘米。

共二件。金簪首部略作三角形，頂端圓，向上彎折。沿中部綫分作兩股，鍛成細圓長條，呈水波狀上下彎曲。

現藏雲南省江川縣李家山考古工作站。

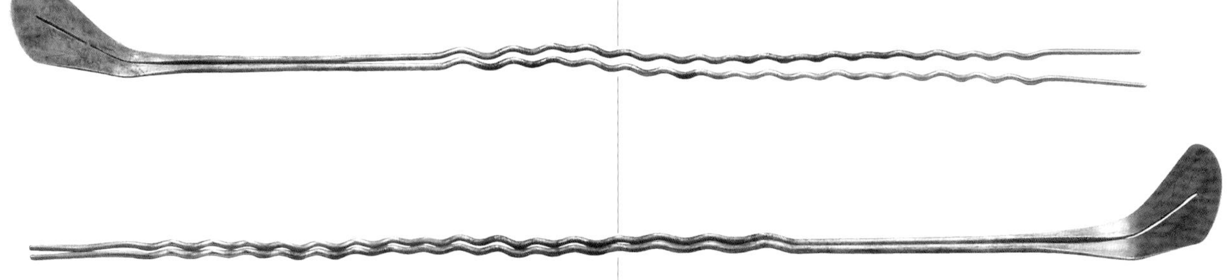

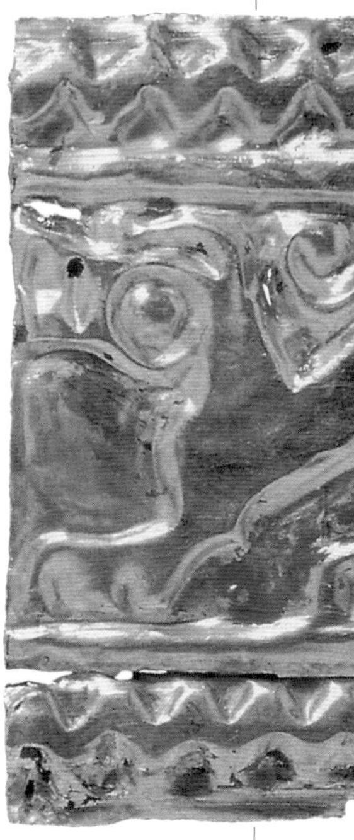

劍鞘金飾

西漢

雲南江川縣李家山古墓群出土。

分別長4.1、8.7厘米，寬3.2厘米。

劍鞘飾一組兩片，用薄金片剪作長條形。四周三角齒紋邊框，中間以三角齒紋和直綫分爲四格，每格内飾一神獸，側身站立，頭有角，尾上揚。

現藏雲南省江川縣李家山考古工作站。

金帶扣

西漢

雲南昆明市官渡區羊甫頭采集。

長10.5、寬4.5－5.5厘米。

帶扣上飾一變形龍紋，龍身短小，脚踏祥雲，鑲嵌玻璃狀透明物作爲雙眼。龍頭下有一虎，雙眼也用透明物鑲嵌。

現藏雲南省文物考古研究所。

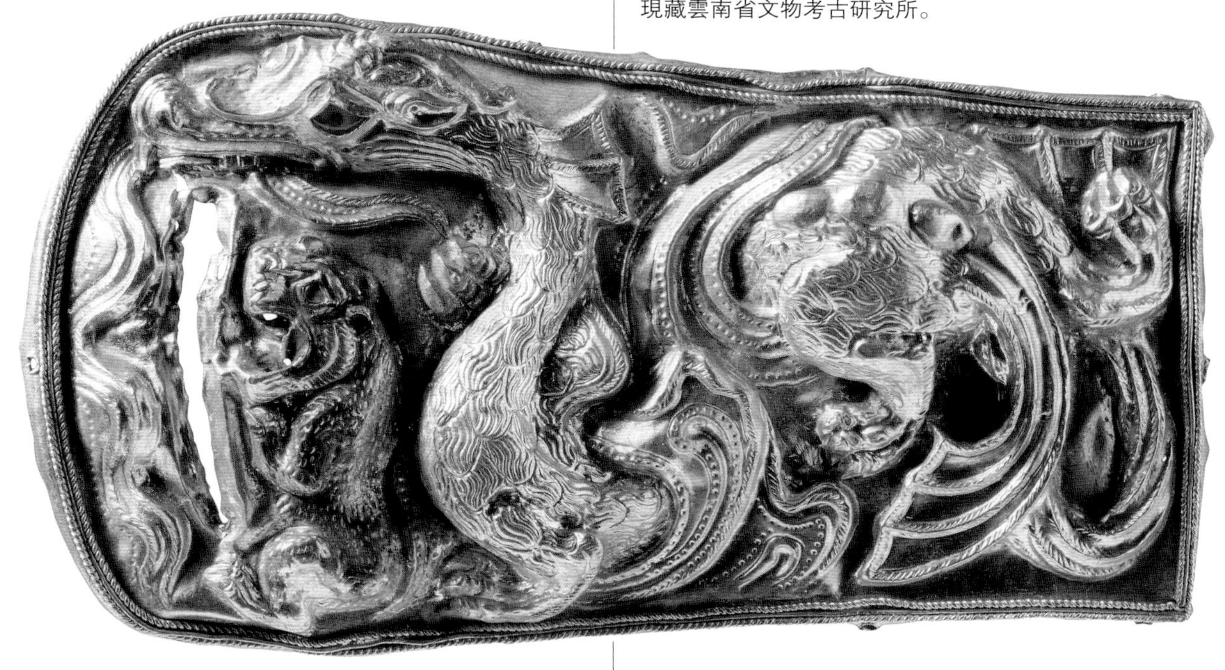

“滇王之印”金印

西漢

雲南晋寧縣石寨山漢6號墓出土。

邊長2.3、高2厘米。

蛇形鈕。

現藏雲南省博物館。

壓花牛頭紋金劍鞘

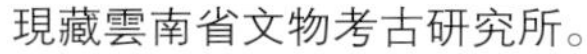

西漢
雲南晉寧縣石寨山漢墓出土。
長49–52.5厘米。
兩件形制相同，用獨立的五塊金片鍛壓而成，分成三段，上飾模壓的牛頭、雉堞、圓圈及辮形紋樣。
現藏雲南省文物考古研究所。

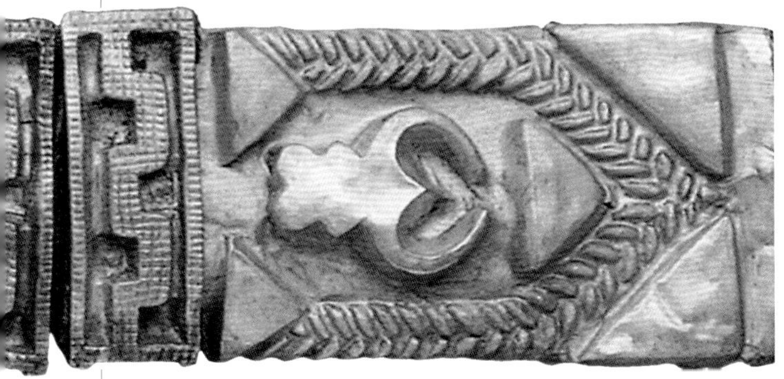

金臂甲

西漢

雲南晉寧縣石寨山漢墓出土。

高18.5厘米。

呈喇叭形圓筒狀，側面有開口，邊沿有對稱的穿孔。

現藏雲南省博物館。

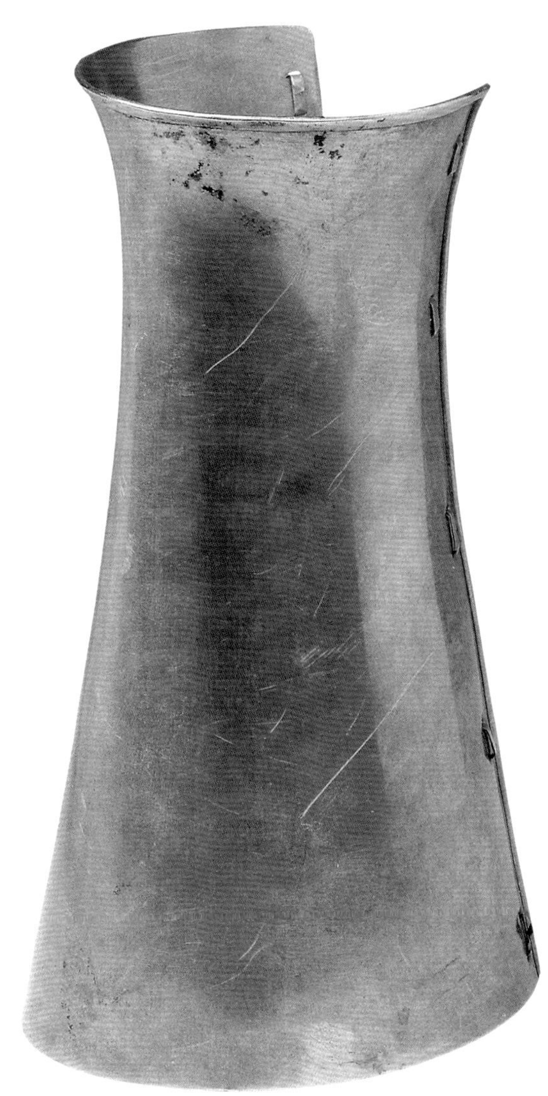

金鐲

西漢

雲南晉寧縣石寨山漢墓出土。

高約20厘米。

上、下兩段套合而成，上段爲圓鉢形，口沿及圈足處有綫刻的三角形齒紋及似符號的刻紋。下段爲圓筒狀，表面有較寬的瓦紋。

現藏雲南省博物館。

虎紋銀帶扣

西漢

雲南晉寧縣石寨山漢墓出土。

長10.1、前端寬6.1、後端寬4.2厘米。

前半段有一槽，横裝一齒舌，空槽用以引帶，齒舌扣眼。中一虎帶翼，雙眼鑲黄色透明玻璃珠，全身嵌緑松石，邊沿有釘眼。

現藏雲南省博物館。

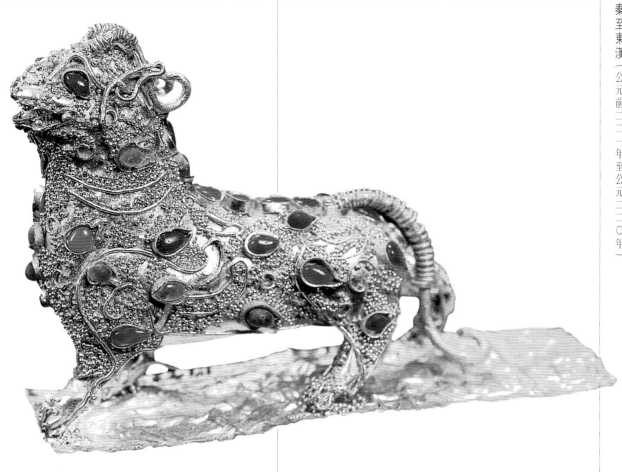

掐絲鑲嵌金辟邪

東漢

河北定州市北陵頭村中山穆王劉暢墓出土。

高3.3、長3.7厘米。

集掐絲、焊接、纏繞、鑲嵌于一體，身上多處嵌緑松石與紅瑪瑙。底托片上鏨有流雲紋。

現藏河北省定州市博物館。

掐絲鑲嵌金龍

東漢

河北定州市北陵頭村中山穆王劉暢墓出土。

高1.2、殘長4.2厘米。

龍身透雕，與龍頭套接，全身遍布粟狀金粒，并鑲嵌有緑松石。

現藏河北省定州市博物館。

龍形金飾

東漢
江蘇揚州市邗江區甘泉鎮2號漢墓出土。
殘長4.6厘米。
采用掐絲焊接技法刻畫龍頭、龍體及細部紋飾，龍爪下與火焰中心鑲料珠。
現藏南京博物院。

品形金勝片

東漢
江蘇揚州市邗江區甘泉鎮2號漢墓出土。
高2.1、寬1.5厘米。
每個方勝表面由小金珠粘接成五重環紋，同心圓內原嵌料珠，現已脱落。
現藏南京博物院。

王冠形金飾

東漢
江蘇揚州市邗江區甘泉鎮2號漢墓出土。
直徑1.5厘米。
束髮器上的裝飾。此器融鏨刻、鑲嵌、掐絲、焊接等多種工藝于一體，冠上緣每個“山”字形突起上各嵌一緑松石，兩脊飾魚子金珠，内掐金片。
現藏南京博物院。

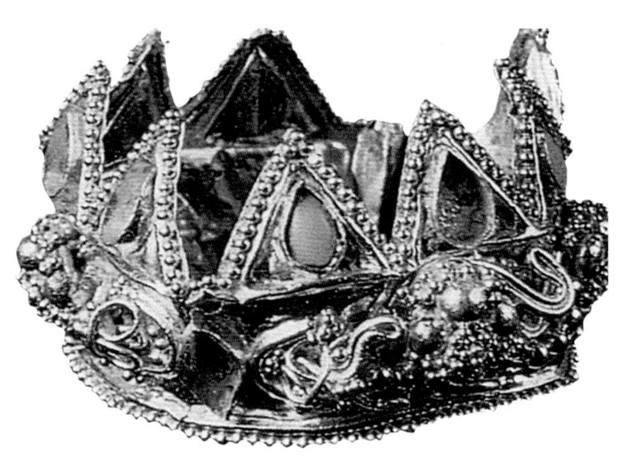

金耳墜

東漢

吉林榆樹市老河深墓葬出土。

長3.8–6厘米。

共四對。以金絲纏繞成各種形狀作裝飾，與中原地區的耳環有顯著差別。

現藏吉林省博物院。

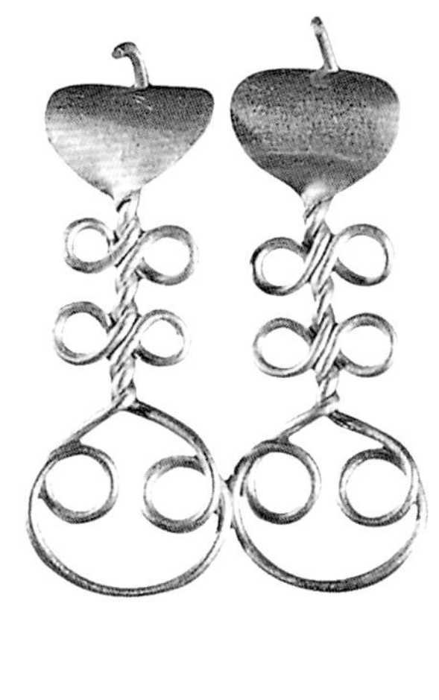

金耳墜

東漢

吉林榆樹市老河深墓葬出土。

長6厘米。

墜中部各穿十八枚圭形金片，底部穿紅瑪瑙。

現藏吉林省博物院。

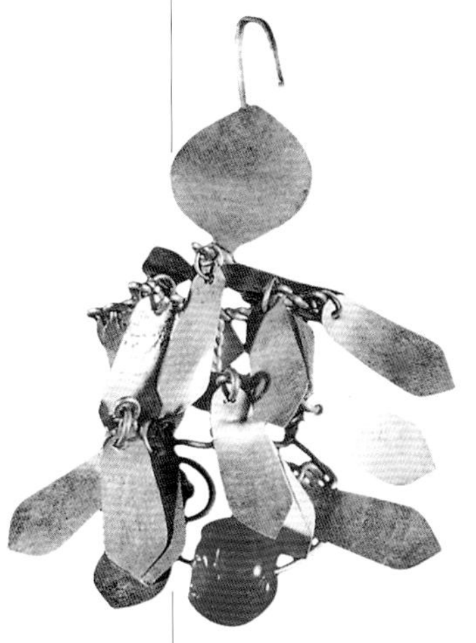

金柄鐵劍

東漢

內蒙古太僕寺旗出土。

劍長30、鞘長24.3厘米。

劍柄端有一穿鞘作“十”字形，上面飾滿花紋。

現藏故宫博物院。

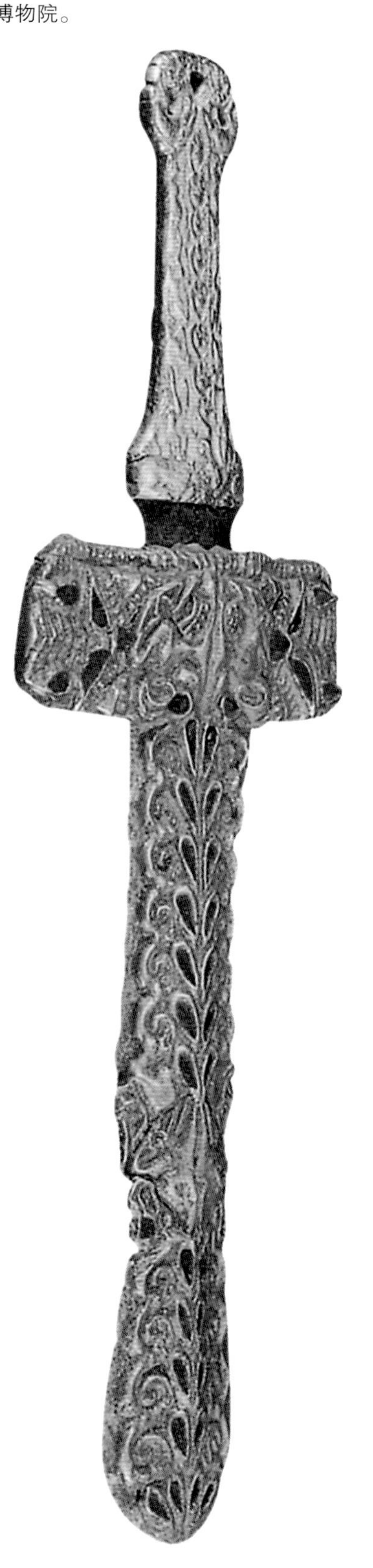

金馬紋飾件

東漢

內蒙古太僕寺旗出土。

寬6.5、高10厘米。

器物正面爲對稱的雙馬，兩馬頭正上方有一橢圓形穿孔，背面有二鈕。

現藏故宫博物院。

金獸頭形空心杖首

東漢
內蒙古太僕寺旗出土。
長5.3厘米。
獸做直立狀，兩前肢靠在腹部，身上的鬃毛刻劃得十分逼真且清晰。
現藏故宮博物院。

雙羊紋金牌飾

東漢
內蒙古呼和浩特市添密梁墓葬出土。
長9.5厘米。
牌飾呈長方形。框內飾雙羊對立，羊首微昂，圓眼，彎角，雙羊對銜三個相連的圓輪。
現藏內蒙古自治區呼和浩特市文物事業管理處。

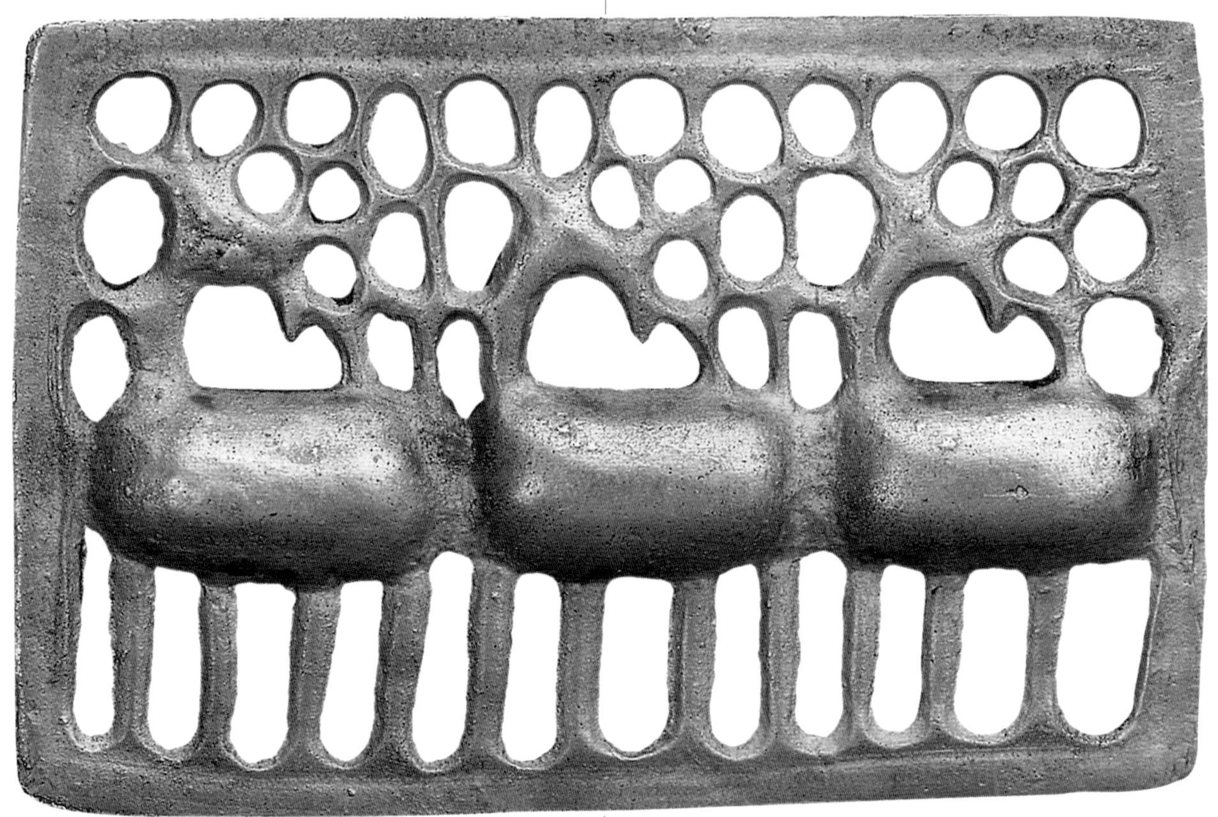

三鹿紋金牌飾

東漢

内蒙古察哈爾右翼後旗井灘村出土。

長6.7、寬4厘米。

牌爲長方形，鏤雕三鹿，迴首張望。

現藏内蒙古博物院。

雙馬形金佩飾

東漢

内蒙古科爾沁左翼中旗六家子墓葬出土。

長8.5厘米。

兩馬相背連在一起，馬首低垂，鬃毛直立。

現藏内蒙古民族博物館。

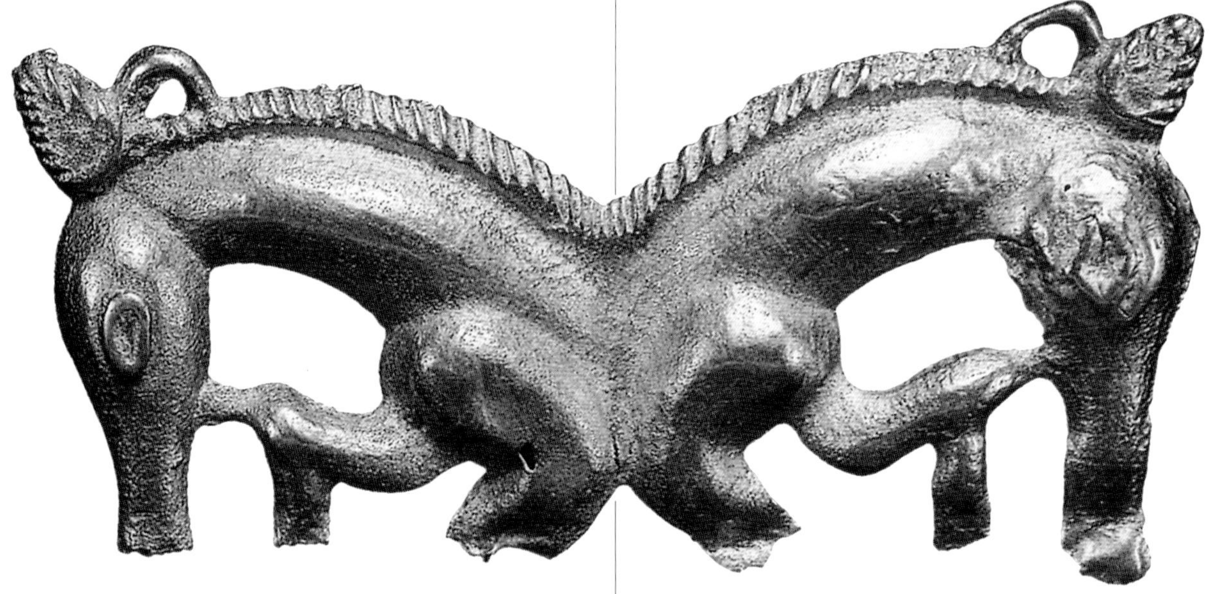

馬形金挂飾

東漢

内蒙古科爾沁左翼中旗六家子墓葬出土。

長8厘米。

馬首下垂，鬃毛直立，四肢内屈，尾下垂，跪卧于地。

耳和臀部各拴一金鏈。

現藏内蒙古民族博物館。

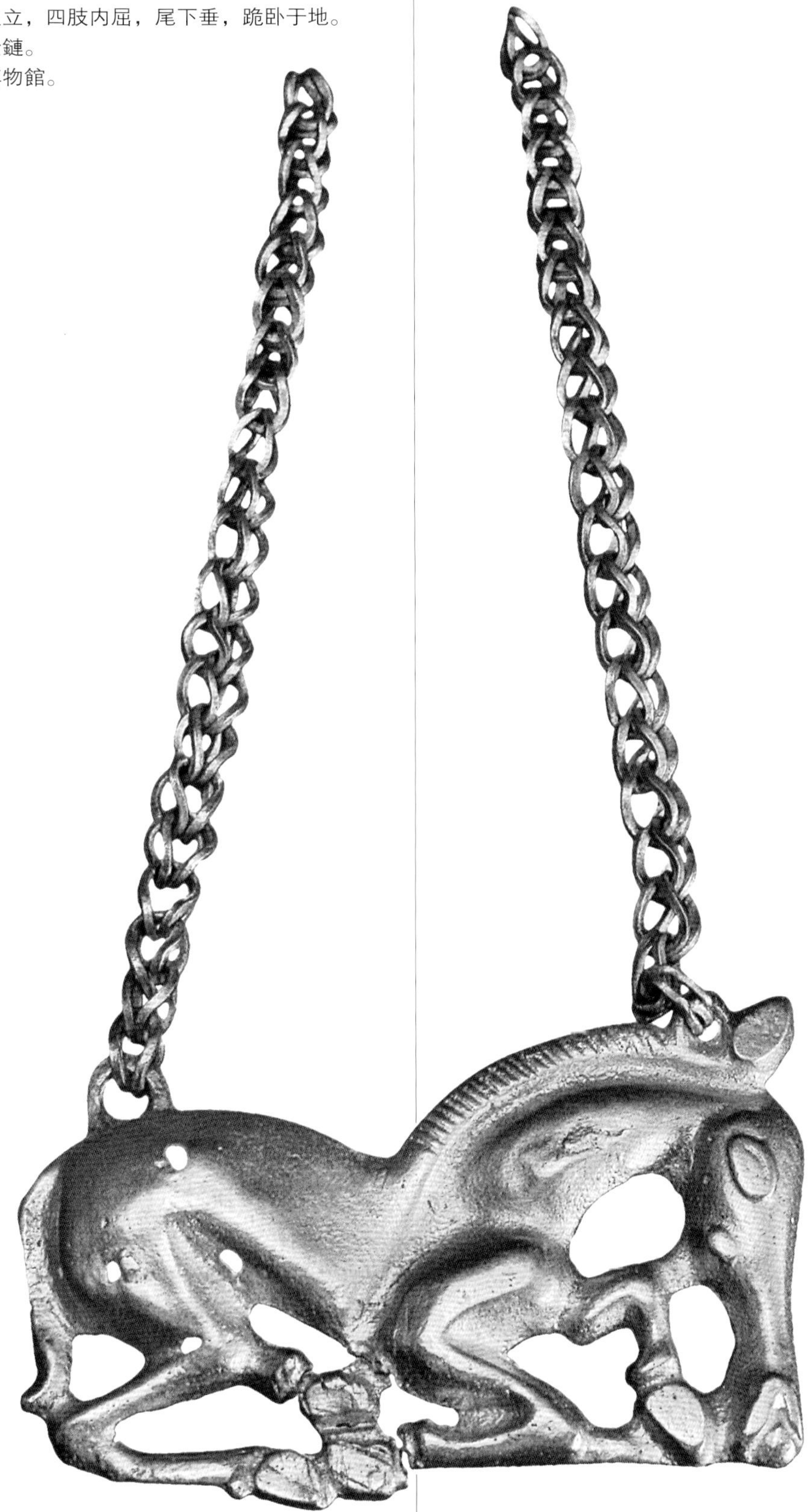

鳳鳥形金步摇冠飾

東漢

內蒙古科爾沁左翼後旗毛力吐墓葬出土。

高5.3厘米。

鳳鳥昂首挺胸，展翅張尾，站立于圓弧形金片上。身上有十四個圓孔，尾、翅和圓盤上飾聯珠紋。

現藏內蒙古民族博物館。

狼噬牛金牌飾

東漢
青海祁連縣出土。
高9.2、寬14.7厘米。
以浮雕和透雕手法表現惡狼噬牛的場面。
現藏青海省文物考古研究所。

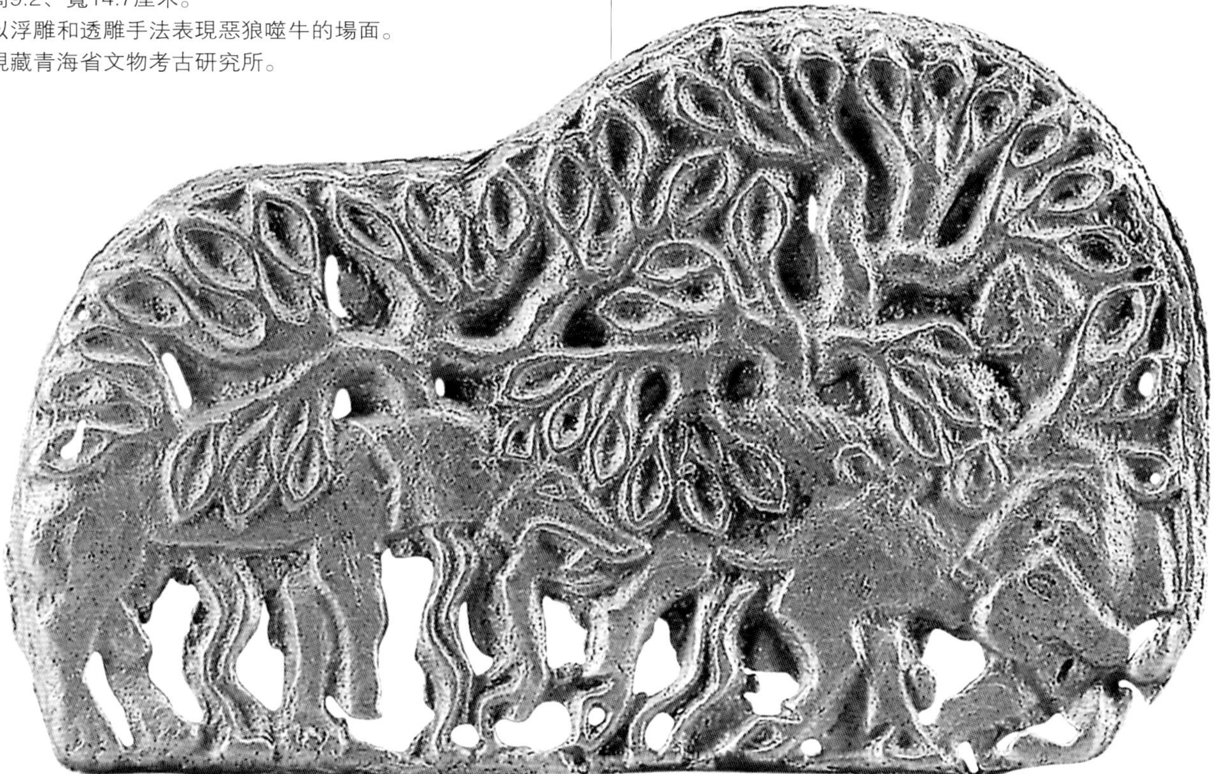

金頭花

東漢
甘肅武威市凉州區韓佐鄉紅花村出土。
高8厘米。
造型似樹，樹梗粗壯，其上四片長條形葉，中心伸出彎曲的八枝花莖，上飾小花、花苞和小鳥。
現藏甘肅省文物考古研究所。

怪獸啄虎紋金牌飾

東漢
新疆吐魯番市交河溝北墓地出土。
高5.75、寬8.4厘米。
錘鍱成型，呈半浮雕狀，怪獸鷹嘴，龍身，鷹爪，背有鰭，最上一片背鰭上有穿孔。
現藏新疆文物考古研究所。

駱駝形金牌飾

漢

新疆吐魯番市交河溝北墓地出土。

高2.2、長2.8厘米。

錘鍱而成。駱駝口部、駝峰和膝蓋處有小孔。

現藏新疆文物考古研究所。

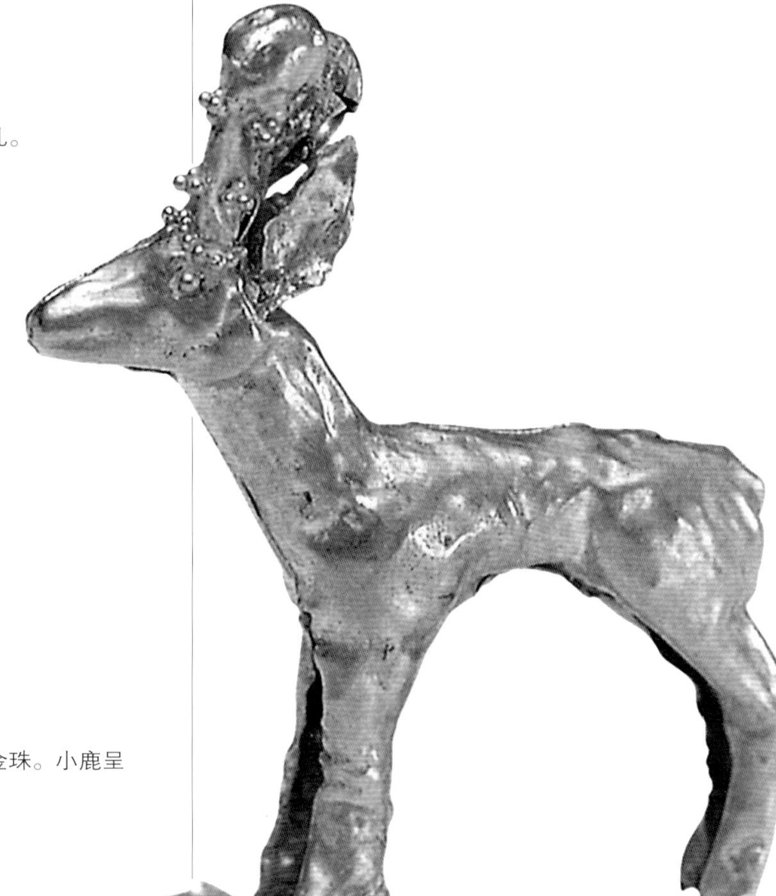

金鹿

漢

新疆吐魯番市交河溝北墓地出土。

高3.8、長3.3厘米。

以相同的兩片金箔對接而成，鹿角上鑲嵌金珠。小鹿呈直立狀凝望前方。

現藏新疆文物考古研究所。

金戒指（右圖）

漢
新疆吐魯番市交河溝西墓地出土。
戒面直徑2.4厘米。
由扁細的金片製成，戒面錘鍱出動物形紋飾。
現藏新疆文物考古研究所。

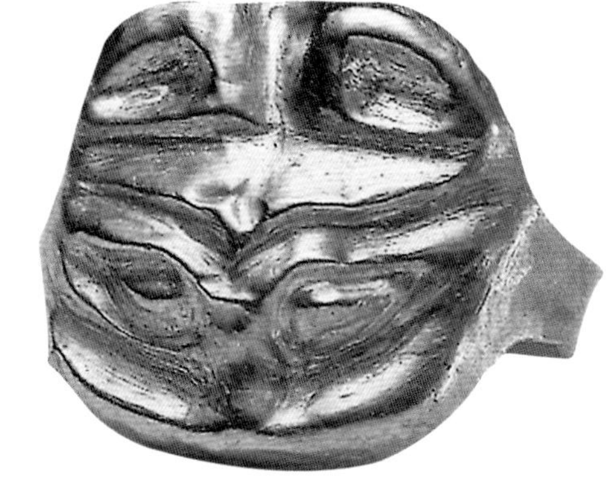

牛頭形金牌飾

漢
新疆吐魯番市交河溝西墓地出土。
長6.9、寬3.5厘米。
錘鍱而成。
現藏新疆文物考古研究所。

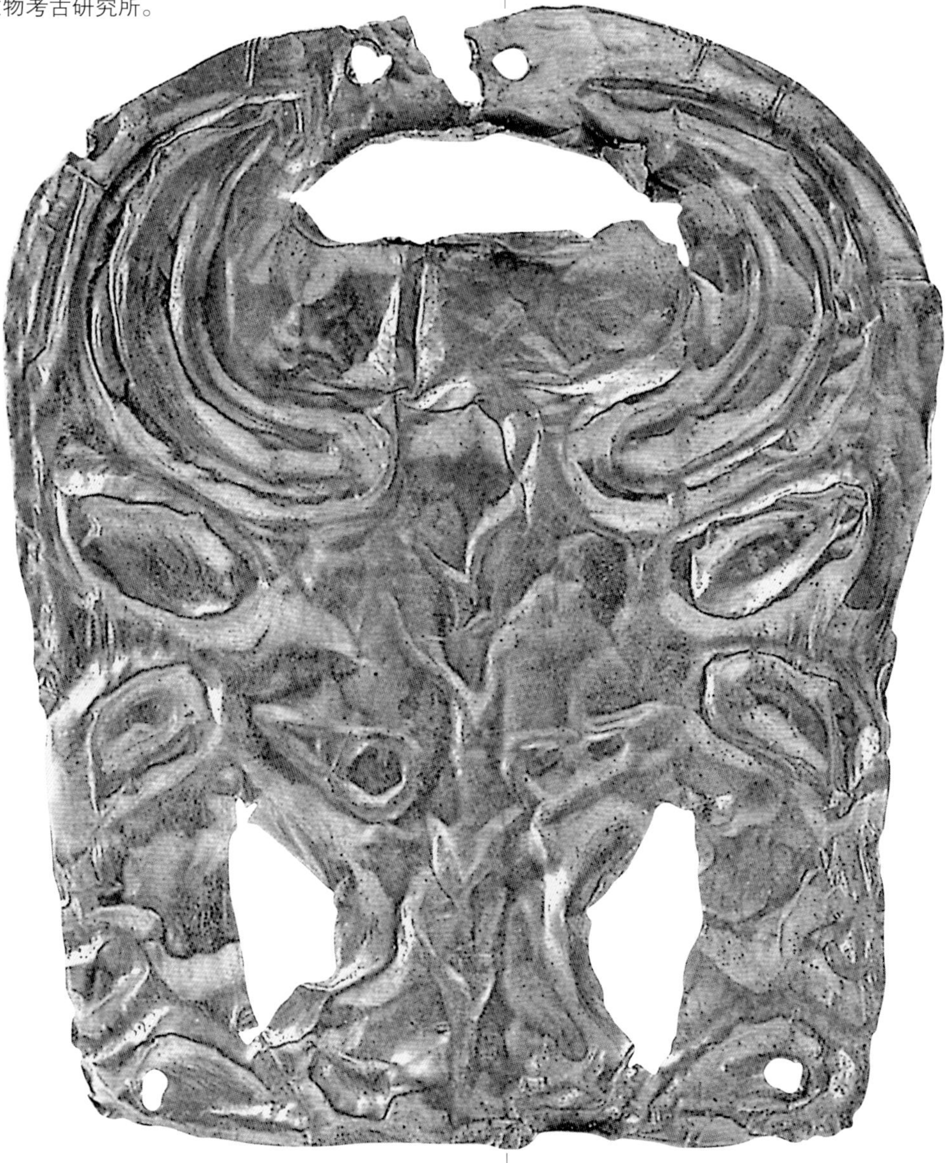

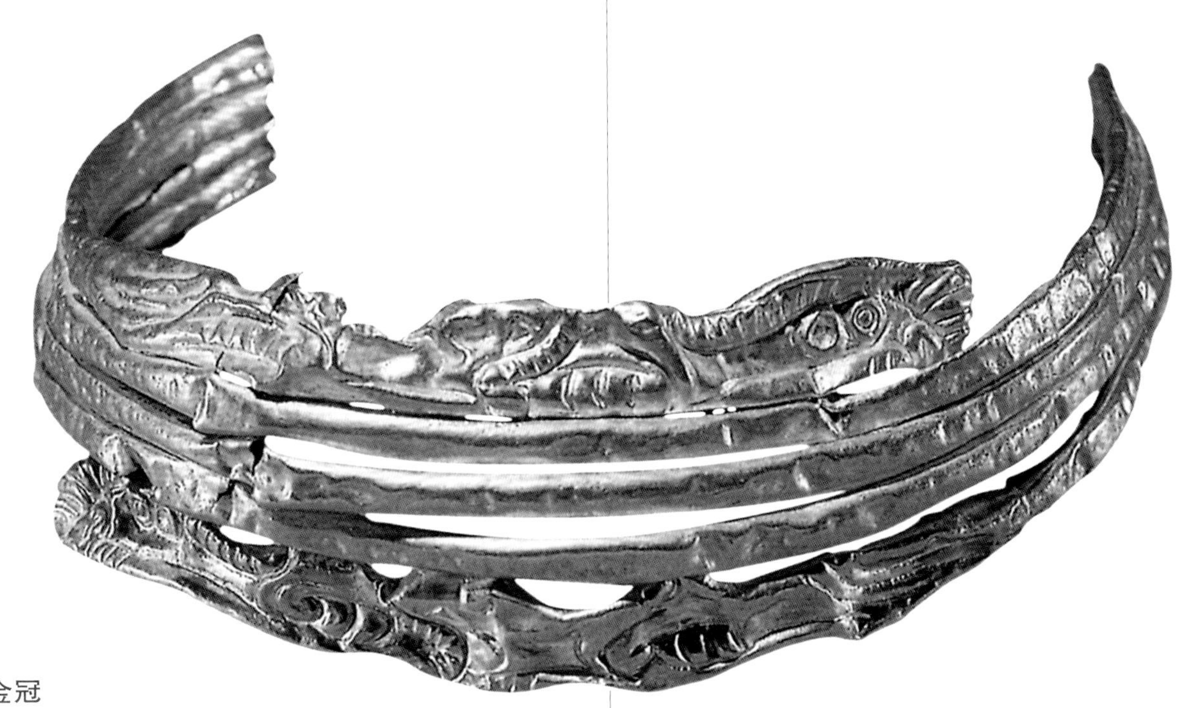

金冠

漢

新疆吐魯番市交河溝西墓地出土。

直徑14、寬1.9–4.1厘米。

由三條管狀金片拼接而成，其上下方各飾兩組虎噬動物圖案。

現藏新疆文物考古研究所。

鑲石金墜

漢

新疆和靜縣拜勒其爾古墓地201號墓出土。

長2.2、寬1.65厘米。

墜呈三角形，邊緣焊接雙層小金珠，兩側有七個小繫。

現藏新疆文物考古研究所。

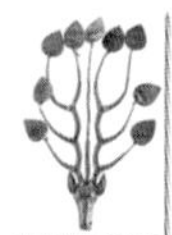

鑲寶石跪獸金帽飾

西晉

内蒙古凉城縣小壩子灘出土。

高4.1厘米。

用金箔錘製而成。獸作跪立形，面目猙獰，上肢背在身後，眼部、四肢及腰腹均鑲寶石，背面邊緣有四孔。

現藏内蒙古博物院。

鑲寶石跪獸金帽飾側面

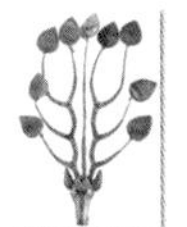

虎犬紋金牌飾

西晉
内蒙古凉城縣小壩子灘出土。
長9.4、寬4.8厘米。
牌作伏虎狀，虎頭下立一犬，虎身上鑄兩個馬頭。
現藏内蒙古博物院。

“猗㐌金”獸紋金牌飾

西晉
内蒙古凉城縣小壩子灘出土。
長9.9、寬7厘米。
造型由四個動物組成，但形態似馬非馬，似鹿非鹿。
牌飾背部鏨刻有“猗㐌金”字樣。
現藏内蒙古博物院。

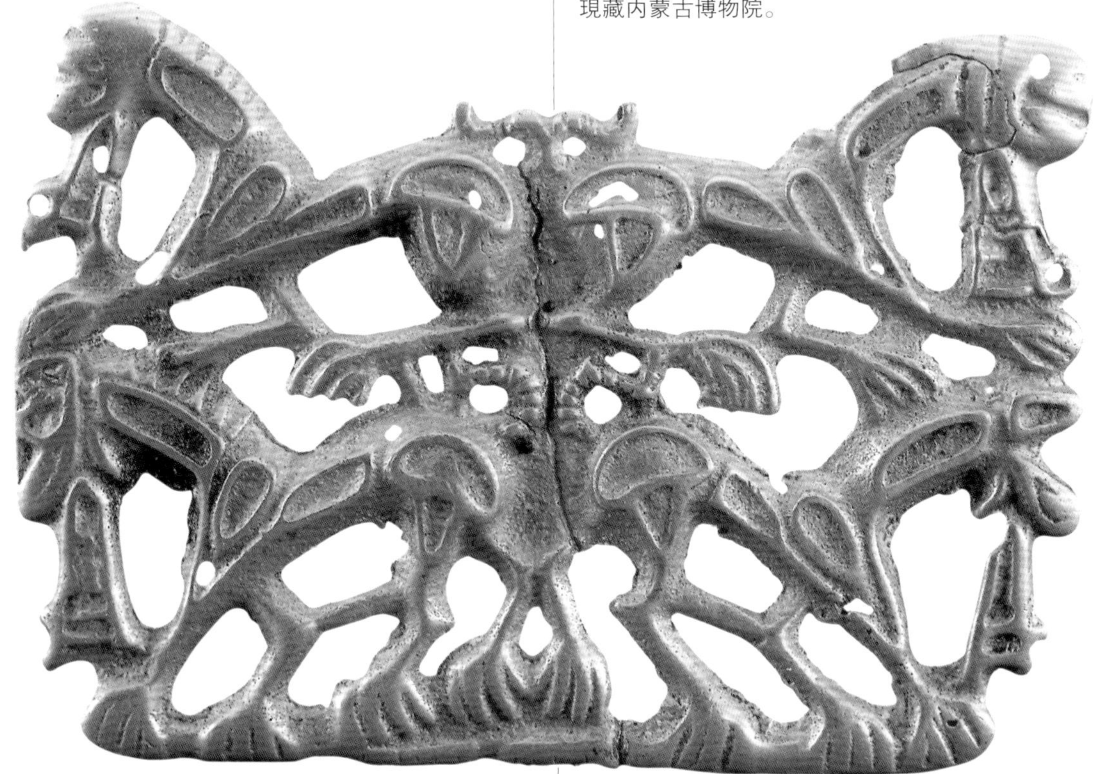

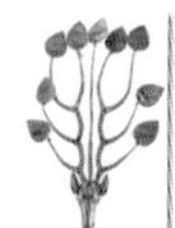

四鳥紋金牌飾

西晉

内蒙古凉城縣小壩子灘出土。

長8.9、寬6.3厘米。

四鳥分布于四角，組成一個完整的動物身軀。四角各爲一鳥頭，中間騎坐一人，牌飾左右兩側及下部各有一獸面紋。

現藏内蒙古博物院。

獸面金戒指

西晋

内蒙古凉城縣小壩子灘出土。

高3厘米。

戒面爲一半浮雕獸頭，雙眼嵌緑松石。

現藏内蒙古博物院。

聯珠金手鐲

西晋

江蘇南京市梅家山出土。

直徑5.9厘米。

一對。由一粒粒金珠焊接而成。

現藏南京博物院。

掐絲鑲嵌銀鈴

西晋

北京石景山區華芳墓出土。

高4、徑3.5厘米。

球形，頂部有辟邪座環鈕，四周環繞八個樂人形象，手持各種不同樂器。其樂隊組合對研究晋代音樂史有重要價值。

現藏首都博物館。

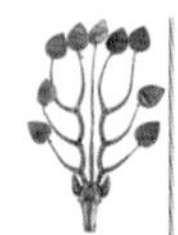

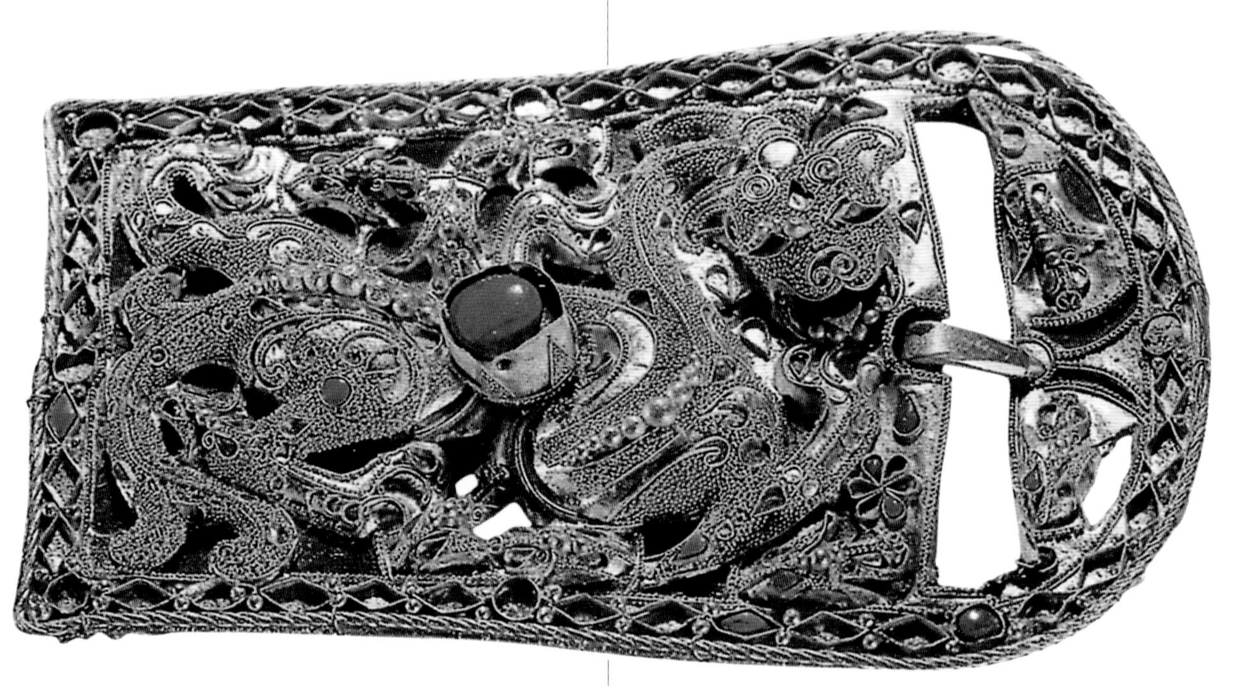

龍紋金帶扣

西晋

湖南安鄉縣黄山頭林場劉弘墓出土。

長9、寬6厘米。

沿帶扣邊緣爲一周連續的菱形凹槽，原鑲嵌有緑松石，中部鏤雕一摇頭擺尾的金龍，龍身正中鑲嵌一緑松石珠。帶扣背面襯一黄銅片以加固牌面。

現藏湖南省安鄉縣文物管理所。

新月形嵌玉金飾

十六國・前燕

遼寧北票市房身村前燕墓出土。

長14、寬5厘米。

此件係以金片剪作新月形，上下兩邊飾凸起的聯珠紋，正中挖空一長方形框，内嵌青色玉石，背後鉚一金片作壁，方框兩側刻劃對鳳紋。

現藏遼寧省博物館。

方形鏤刻金步搖

十六國・前燕

遼寧北票市房身村前燕墓出土。

高7.8厘米。

方形步搖內有“十”字形金片交叉，將紋飾分成四個相同的三角形單元，每一單元內有一鏤空長尾鳳鳥，四邊及十字交叉形金片上綴滿圓形金葉。

現藏遼寧省博物館。

金步搖

十六國・前燕

遼寧朝陽市十二臺鄉前燕墓出土。

高17.8厘米。

步搖爲樹狀，下有基座及鏤空捲雲紋金璫。

現藏遼寧省博物館。

金步摇

十六國・前燕
遼寧北票市房身村前燕墓出土。
高28厘米。
步摇爲樹狀，蔓狀金花，二枝爲一組，下有山形基座及鏤空捲雲紋金璫，枝上貫穿花葉都是剪製而成。
現藏遼寧省博物館。

金頂針（右圖）

十六國・前燕
遼寧北票市房身村前燕墓出土。
環徑1.8、寬1.2厘米。
打製，面鏨點紋，并有菱格紋裝飾。
現藏遼寧省博物館。

金戒指

十六國・前燕
遼寧北票市房身村前燕墓出土。
環徑2.5厘米。
打製，鏨花紋，戒面嵌藍色石，并有聯珠紋裝飾。
現藏遼寧省博物館。

金冠飾

十六國・北燕
遼寧北票市馮素弗夫婦合葬墓出土。
高26厘米。
冠飾由枝葉、球形托和十字交叉的金片組成，金片上有針眼，原當爲附于冠上的框架。
現藏遼寧省博物館。

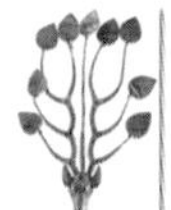

金璫

十六國・北燕
遼寧北票市馮素弗夫婦合葬墓出土。
高7.1、寬6.9厘米。
圓肩，鏤空花紋，一面焊細金絲和金粟作蟬形圖案，眼窩上綴二灰石珠作蟬目。
現藏遼寧省博物館。

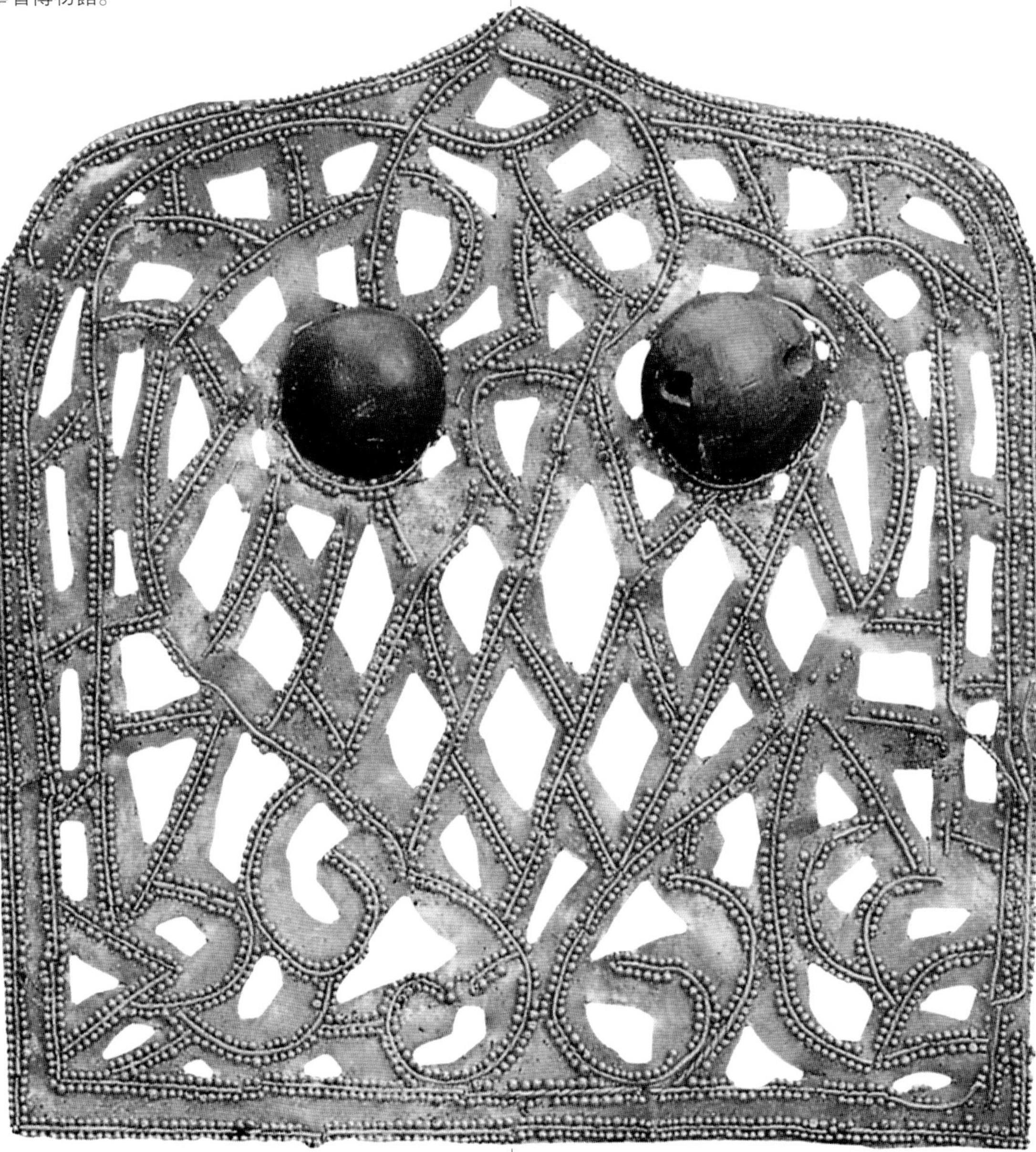

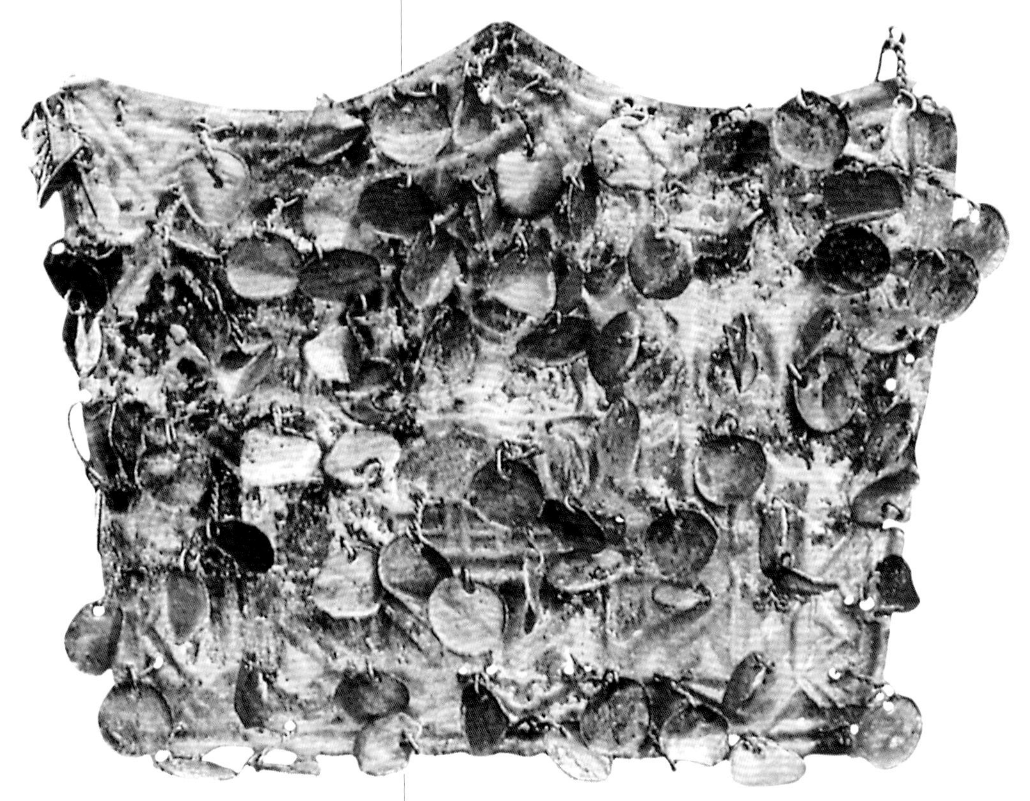

佛像紋山形金飾

十六國・北燕

遼寧北票市馮素弗夫婦合葬墓出土。

高6.8、寬6.5–8.4厘米。

山形飾片上壓印紋飾，周邊爲鋸齒和忍冬花紋帶，中間一佛像高坐座上，後有火焰紋背光，左右二立侍。飾片另一面以細金絲穿綴圓形小金花。

現藏遼寧省博物館。

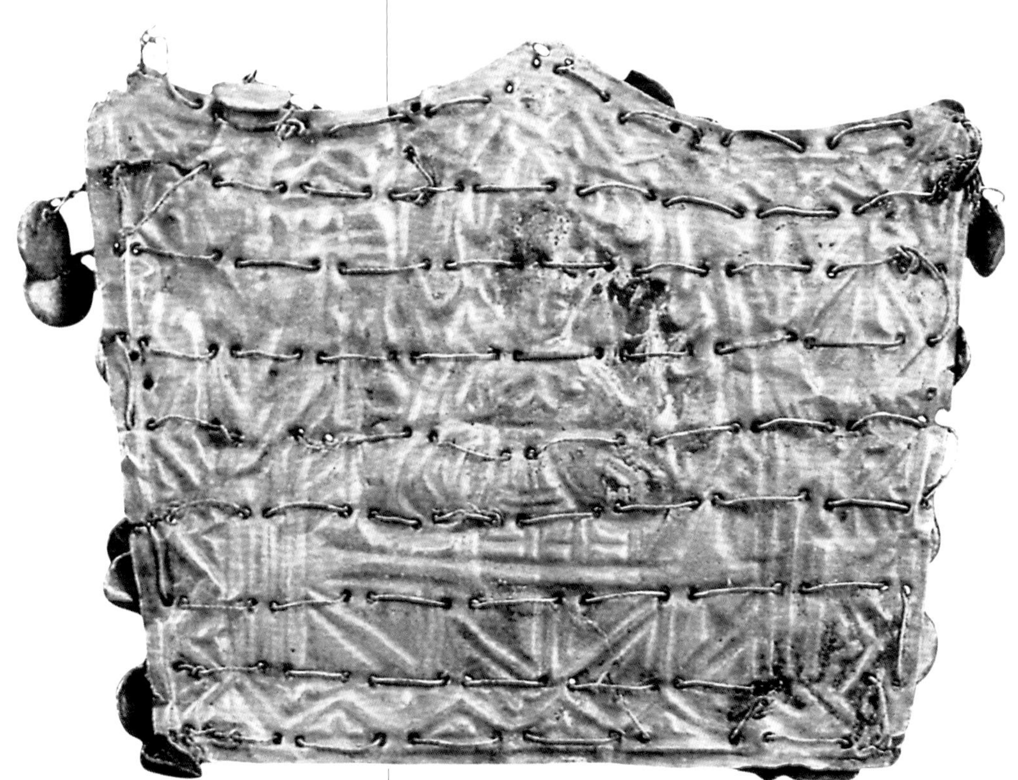

佛像紋山形金飾背面

佛像金戒指

東晋

江西南昌市火車站東晋墓出土。

共四件，高1.2–1.6厘米。

戒面爲佛像，采用模壓和鏨刻的方法製成。佛像結跏趺坐，身後有放射狀弦紋，應爲背光。

現藏江西省南昌市博物館。

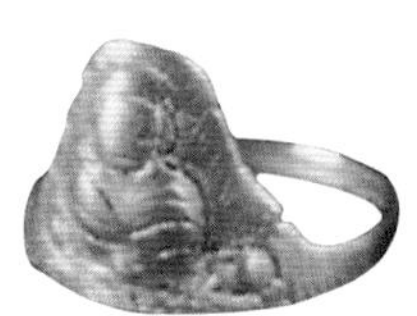

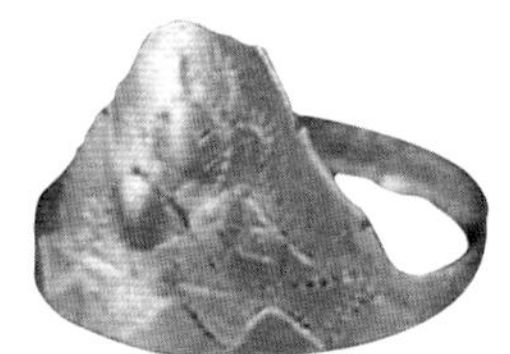

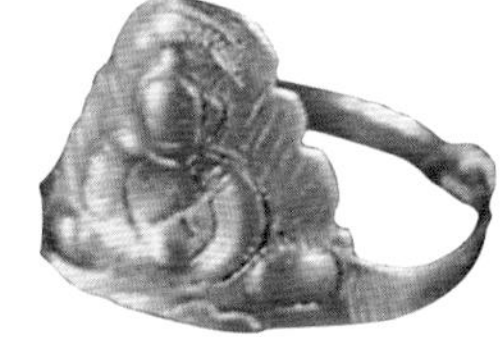

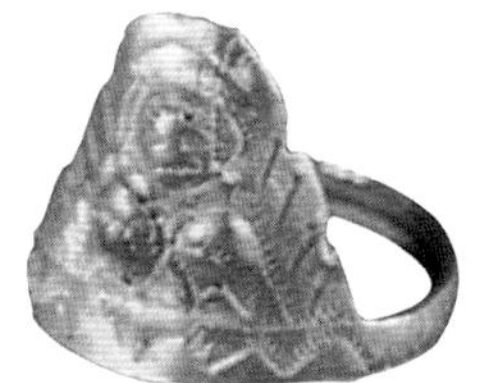

雙鳳金飾

東晋

江蘇南京市仙鶴觀東晋墓出土。

直徑2.5厘米。

兩鳳共銜一勝形飾。

現藏江蘇省南京市博物館。

蟬紋金璫

東晉
江蘇南京市仙鶴觀東晉墓出土。
高5.5厘米。
中央爲蟬紋，周邊爲鋸齒紋，背面邊緣有一周鋸齒形卡扣。
現藏江蘇省南京市博物館。

金耳環

北魏
寧夏固原市寨科鄉北魏墓出土。
左直徑3.4、右直徑2.9厘米。
每個上嵌三行葉狀緑松石。
現藏寧夏回族自治區固原博物館。

鎏金刻花銀碗

北魏
山西大同市出土。
高5、口徑8.5厘米。
腹部以花葉紋劃分成四區，每一區有一圓形開光，開光内爲深目高鼻男子側身頭像。
現藏山西省大同市博物館。

金耳墜

北魏
山西大同市出土。
長3.8厘米。
環用金絲繞成，墜成傘形，下垂挂飾物。
現藏山西省大同市博物館。

蓮花紋銀碗

東魏
河北贊皇縣邢郭村李希宗墓出土。
高3.4、口徑9.2、足徑3.5厘米。
碗內壁錘鍱水波紋三十三道，碗內底中央錘成一圓臺，上有一朵盛開的蓮花。
現藏河北省正定縣文物保管所。

金飾

北齊
山西太原市晉源區王郭村婁叡墓出土。
長15厘米。
采用錘鍱、壓印、鏤刻、鑲嵌等多種技法，紋飾複雜華麗，珍珠寶石交相輝映。
現藏山西省考古研究所。

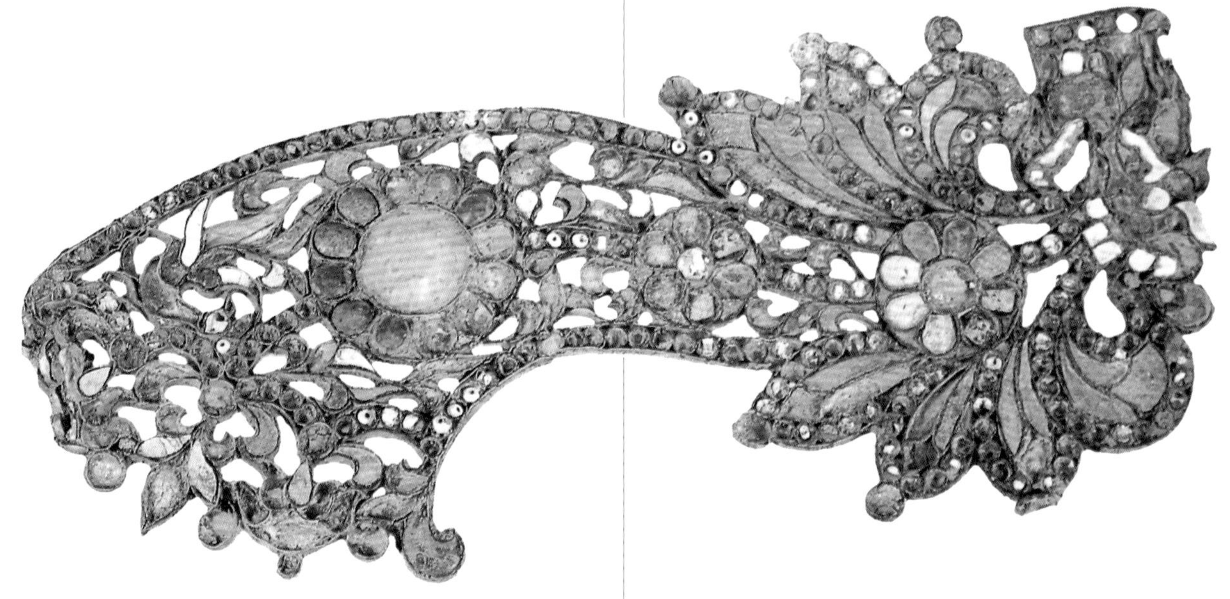

人物紋鎏金銀執壺

北周

寧夏固原市清河鎮深溝村李賢夫婦合葬墓出土。

高37.5厘米。

壺腹上部飾一周覆蓮瓣紋，中部爲凸起的三組人物圖案。每組各有一對男女，表現的是希臘神話中金蘋果的故事，壺身下部綫刻渦紋，并有怪獸和游魚圖案。

現藏寧夏博物館。

鎏金銀執壺局部之一

鎏金銀執壺局部之二

"天元皇太后璽"金印

北周

陝西咸陽市渭城區底張鎮北周武帝孝陵出土。

高4.7厘米。

天禄狀鈕，印面篆書陽文"天元皇太后璽"六字。

現藏陝西省咸陽市渭城區文物保護中心。

金耳飾

北朝

遼寧義縣保安寺出土。

長8.9厘米。

環爲圓形金條繞製而成，墜部爲半圓形金片，下垂挂條形金葉。

現藏遼寧省博物館。

金牌飾

北朝

遼寧義縣保安寺出土。

長8.5、寬7厘米。

由金片錘鍱而成，上面爲群鹿形象。

現藏遼寧省博物館。

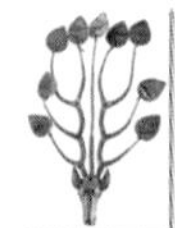

馬頭鹿角金冠飾

北朝

内蒙古達爾罕茂明安聯合旗西河子村出土。

高18.5、寬12厘米。

用聯珠紋裝飾，并嵌料珠，冠上懸挂桃形金葉片。

現藏内蒙古博物院。

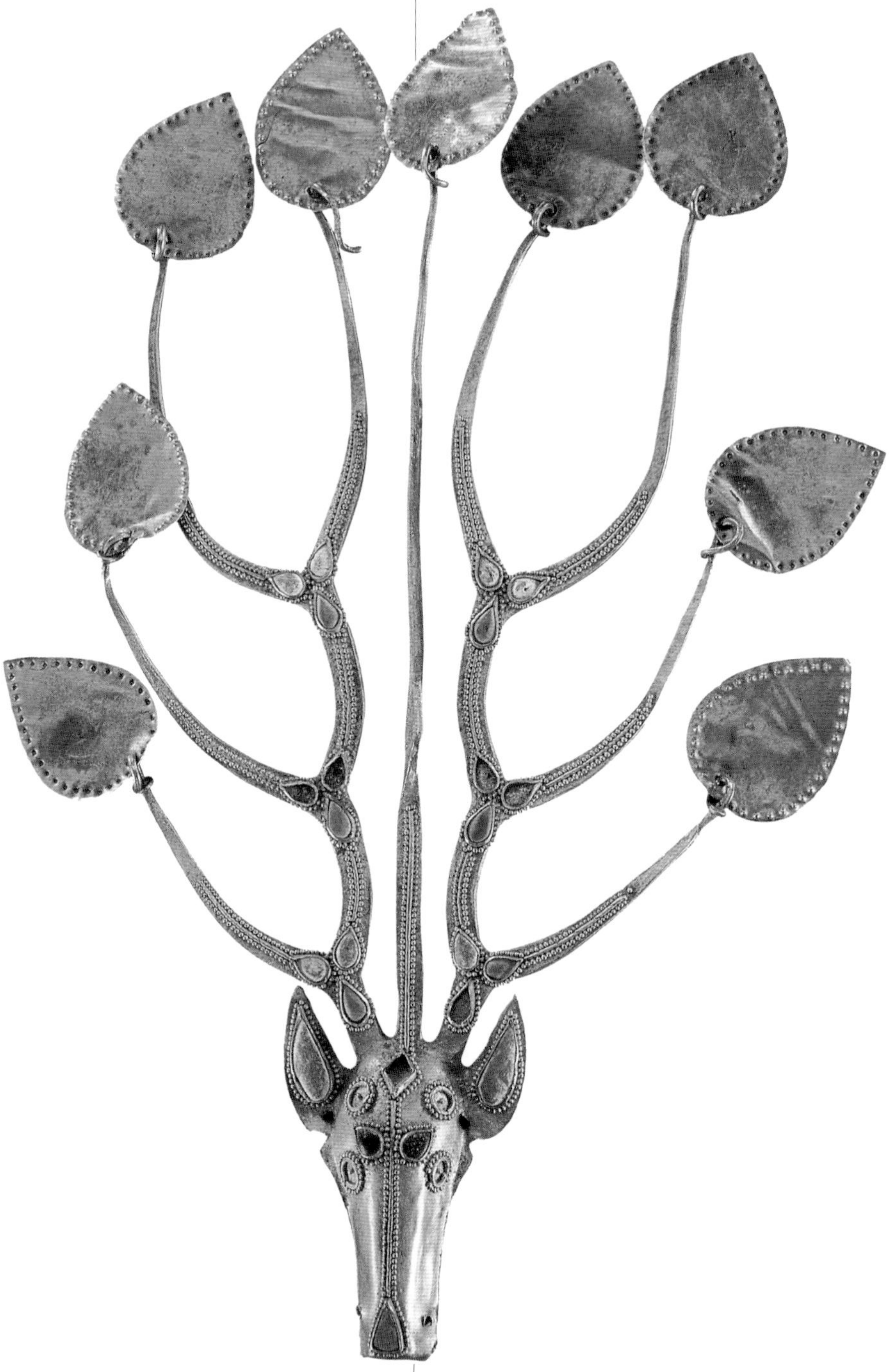

馬頭鹿角金冠飾

牛頭鹿角金冠飾

北朝

內蒙古達爾罕茂明安聯合旗西河子村出土。

高19.5、寬14.5厘米。

用聯珠紋裝飾，并嵌料珠，冠上懸挂桃形金葉片。

現藏內蒙古博物院。

牛頭鹿角金冠飾

金龍

北朝

内蒙古達爾罕茂明安聯合旗西河子村出土。

長125厘米。

兩端以金龍銜環構成一個閉合圈，龍頭飾鋸齒、圓圈及聯珠紋，金絲編綴龍身，并佩挂七件飾物。

現藏内蒙古博物院。

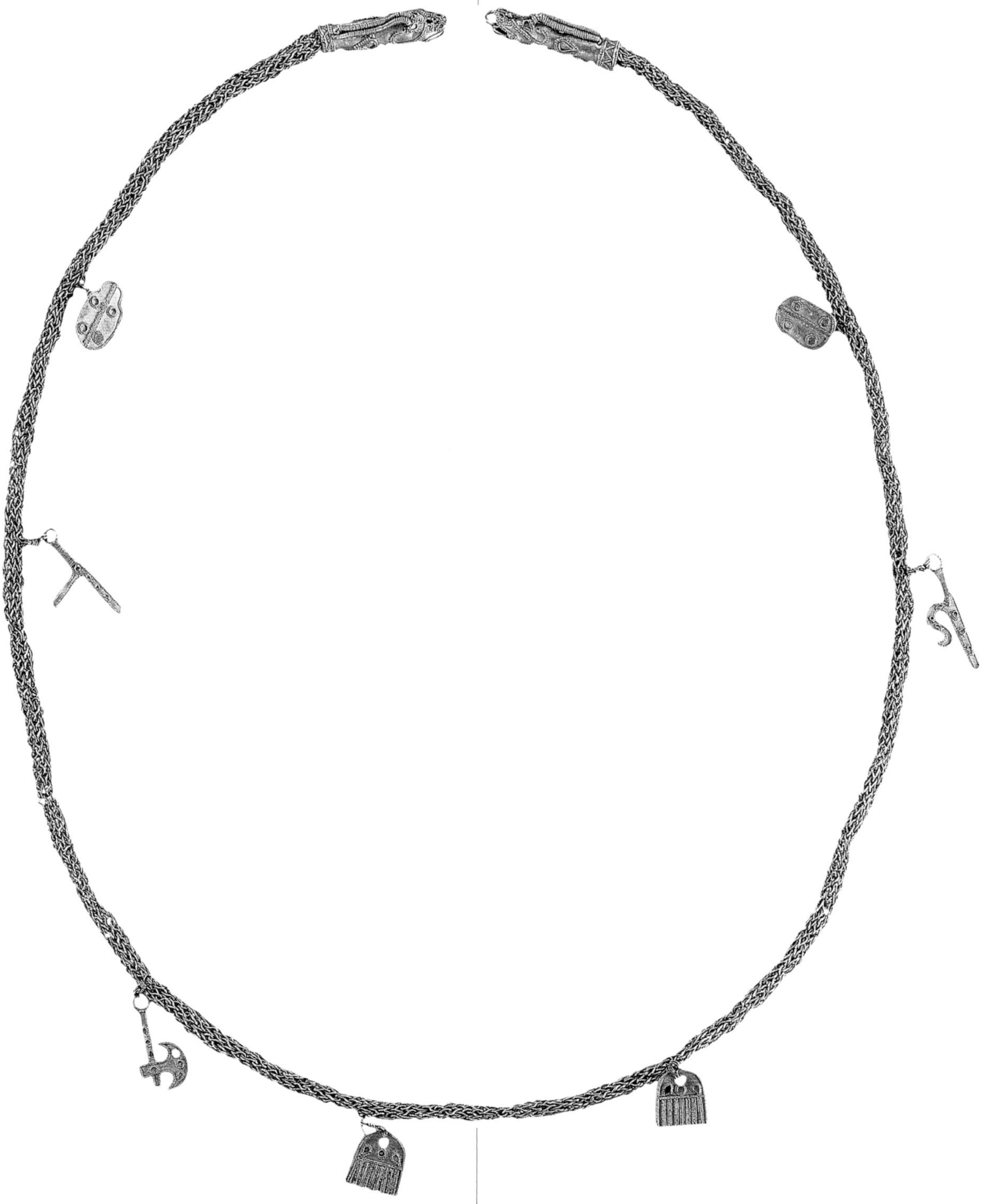

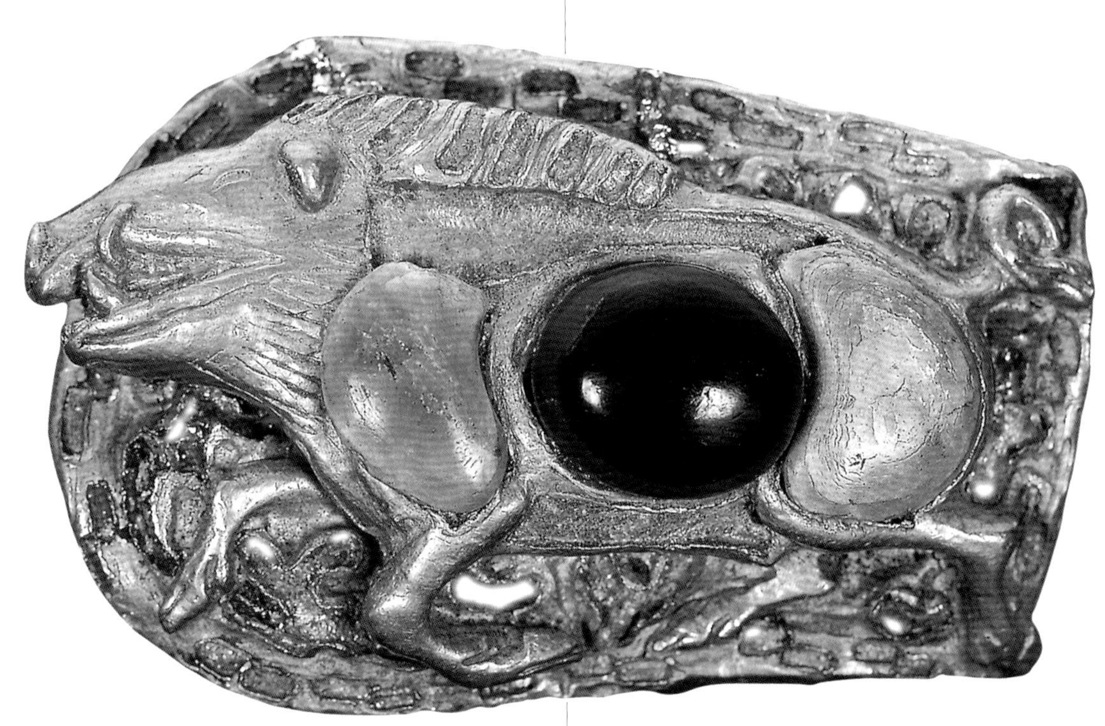

嵌寶石金猪帶飾

北朝
内蒙古和林格爾縣另皮窑村出土。
長10.8、寬5-5.6厘米。
錘鍱成型，表面半浮雕金猪圖案，并鑲嵌寶石。
現藏内蒙古博物院。

包金神獸紋帶飾

北朝
内蒙古土默特左旗討合氣村出土。
寬7.1、長9.2厘米。
神獸爲豹頭，頭上有角，肩生雙翼。
現藏内蒙古博物院。

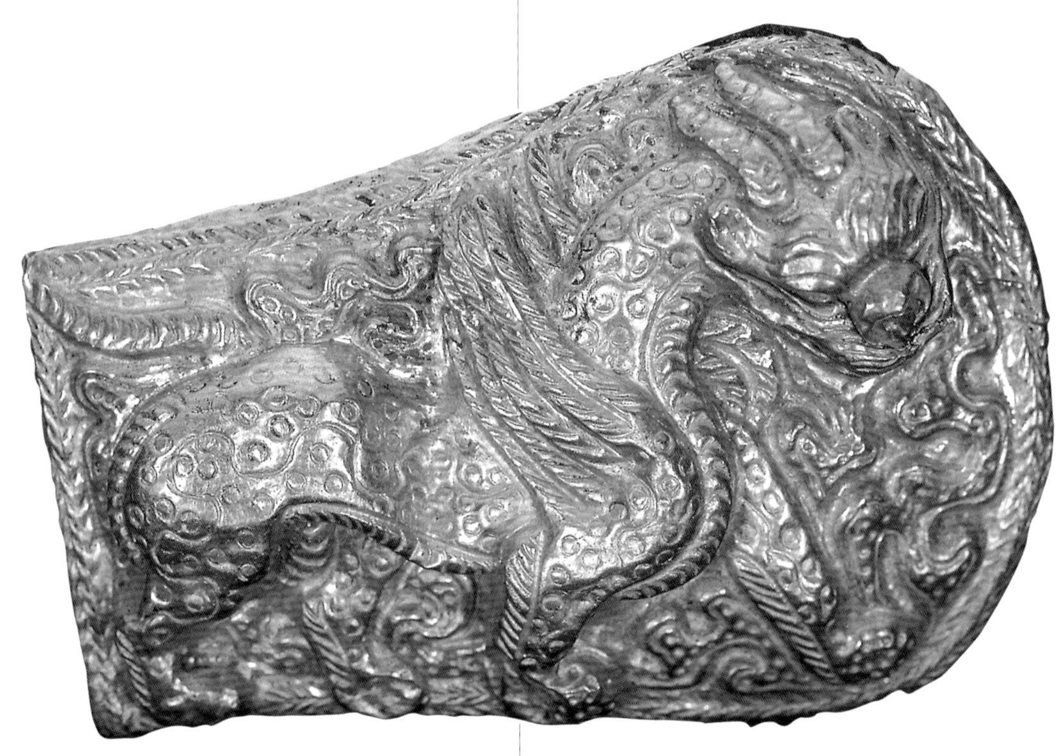

馬紋金飾件

北朝

内蒙古科爾沁左翼中旗出土。

長6.6厘米。

馬作蹲踞狀。

現藏内蒙古文物考古研究所。

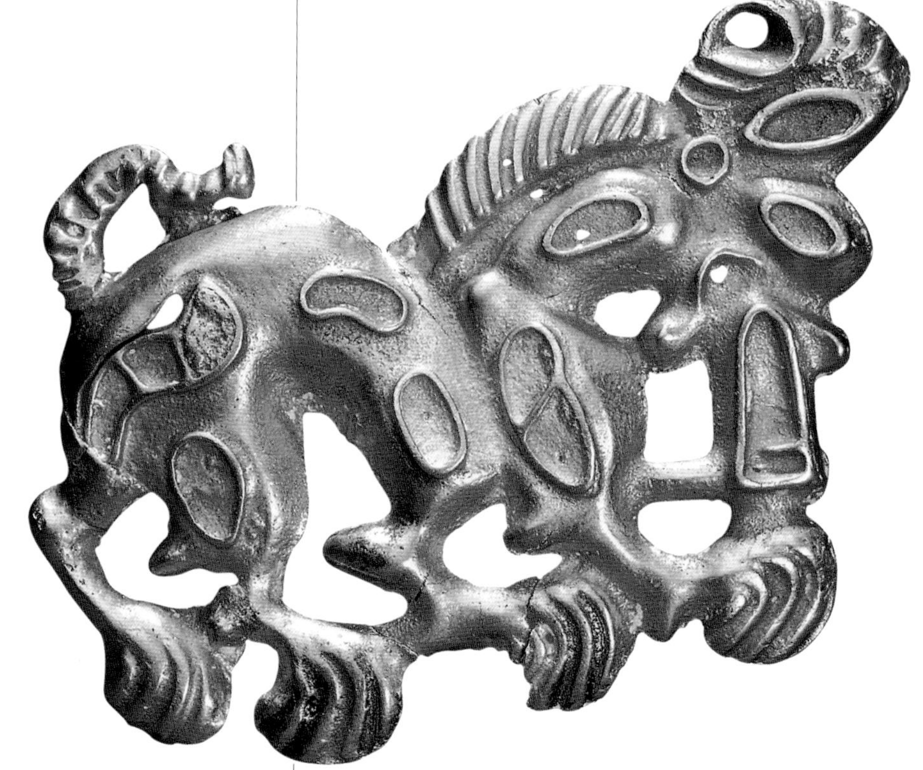

人物雙獅紋金牌飾

北朝

内蒙古科爾沁左翼中旗腰林毛都蘇木北哈拉吐出土。

長10、寬5.8厘米。

一人兩側各偎一獅，背面凹。

現藏内蒙古民族博物館。

人面形金牌飾

北朝
内蒙古科爾沁左翼中旗腰林毛都蘇木北哈拉吐出土。
長9、寬6厘米。
共二件。人形，背面凹。
現藏内蒙古民族博物館。

鑲寶石立羊形金戒指（右圖）

北朝
内蒙古呼和浩特市賽罕區出土。
高3.2、寬2.2厘米。
戒指表面爲一盤角立羊，上嵌緑松石。
現藏内蒙古博物院。

金冥幣

北朝
甘肅高臺縣駱駝城出土。
高2厘米。
圓形片狀，邊緣飾聯珠紋一周，中心開方形孔，廓外上方飾二相向飛翔的小鳥，面上壓製“□王五十”四字。
現藏甘肅省高臺縣博物館。

金耳飾

高句麗
吉林集安市出土。
最長6.8、最短3.5厘米。
共七件。耳飾形狀各异。
現藏吉林省集安市博物館。

鑲嵌紅寶石金面具

公元6世紀前後
新疆昭蘇縣波馬古墓出土。
高17、寬16.5厘米。
錘鍱焊接成型。眉毛和八字鬍鬚用金鑲嵌多塊寶石後再鉚合而成。眼部用兩顆圓形大紅寶石爲睛，在眉心和左右眉梢及下頜部各焊有三個小挂鈎，應爲固定面具之用。
現藏新疆維吾爾自治區伊犁哈薩克自治州文物管理所。

鑲嵌紅瑪瑙虎柄金杯

公元6世紀前後

新疆昭蘇縣波馬古墓出土。

高16、口徑8.8厘米。

因擠壓而變形，器身內外通體壓印雙綫菱形方格，每格內焊接寶石座，上嵌紅色瑪瑙，虎形柄焊接在口沿下至中腹部，器底爲凸起的同心圓紋，中心錘出八瓣花紋。現藏新疆維吾爾自治區伊犁哈薩克自治州文物管理所。

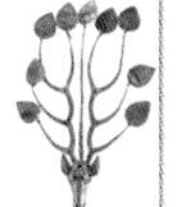

鑲嵌紅寶石戒指（右圖）

公元6世紀前後

新疆昭蘇縣波馬古墓出土。

長徑2.1、短徑1.5厘米。

戒面周緣爲點焊的兩圈細金珠，環戒指點焊細金珠，構成不甚明顯的三角紋，戒指與戒面相對的一面亦有鑲嵌紅寶石的基座。

現藏新疆維吾爾自治區伊犁哈薩克自治州文物管理所。

鑲嵌紅寶石寶相花金蓋罐

公元6世紀前後

新疆昭蘇縣波馬古墓出土。

通高14、口徑7、腹徑12.3厘米。

半球形蓋，蓋頂模壓七朵寶相花，肩部焊接一周鎖綉狀裝飾，其下鑲嵌紅寶石一圈，并接三菱狀鑲嵌紋飾十四組，圈足邊緣有一周聯珠紋裝飾。

現藏新疆維吾爾自治區伊犁哈薩克自治州文物管理所。

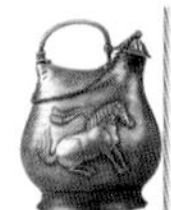

金高足杯

隋

陝西西安市隋李静訓墓出土。

高5.7、口徑5.7厘米。

焊接成型。敞口，弧腹，喇叭形高圈足。腹中部、足中部及底緣各有焊上的凸弦紋一周，足柄上端先粘焊一圓片，然後再焊合于杯身。

現藏中國國家博物館。

金手鐲

隋

陝西西安市隋李静訓墓出土。

長徑7、短徑5.5厘米。

一對。橢圓形，每隻分成四節。開口處有一鈕飾，一端爲花瓣形扣環，上嵌緑色小珠六個；另一端爲一鈎，鈎端亦嵌一珠。鈎及環另一端爲活軸，可以開合。

現藏中國國家博物館。

金項鏈

隋

陝西西安市隋李静訓墓出土。

徑43厘米。

由二十八個金質球形飾組成，球飾上各嵌有十顆珍珠，鏈兩端用一圓形金鈕飾相連，其上鑲嵌一個刻有馴鹿的深藍色珠飾，項鏈下端爲一垂珠飾，居中者爲一嵌鷄血石和二十四顆珍珠的圓形金飾，下挂一心形藍色垂珠。現藏中國國家博物館。

金頭飾

隋

陝西西安市隋李靜訓墓出土。

高11、長8厘米。

花枝頂部飾金箔和銀箔組成的花朵。花叢中有一展翅而飛的蝴蝶，蝶身用金絲編成，上飾珍珠，可存放香料。

現藏中國國家博物館。

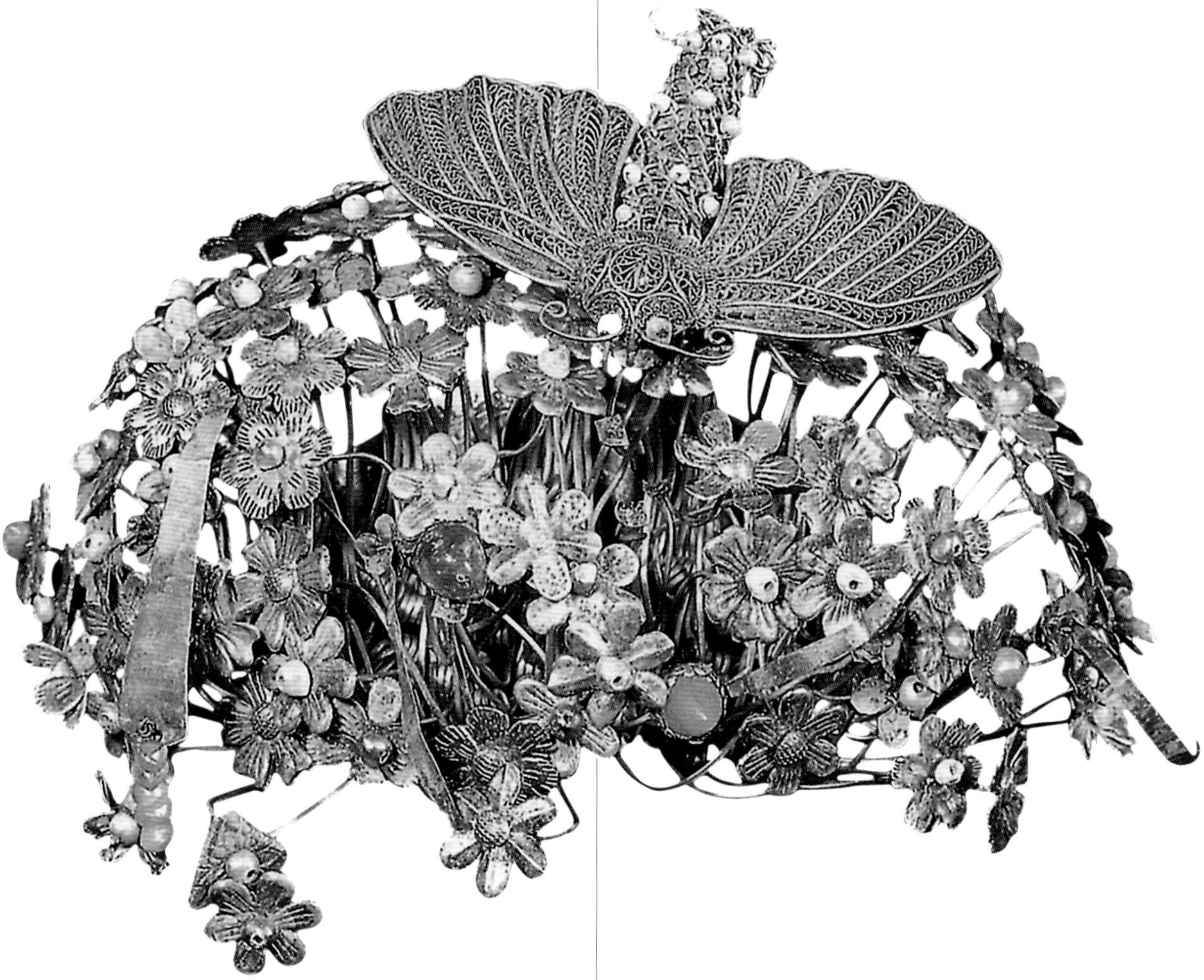

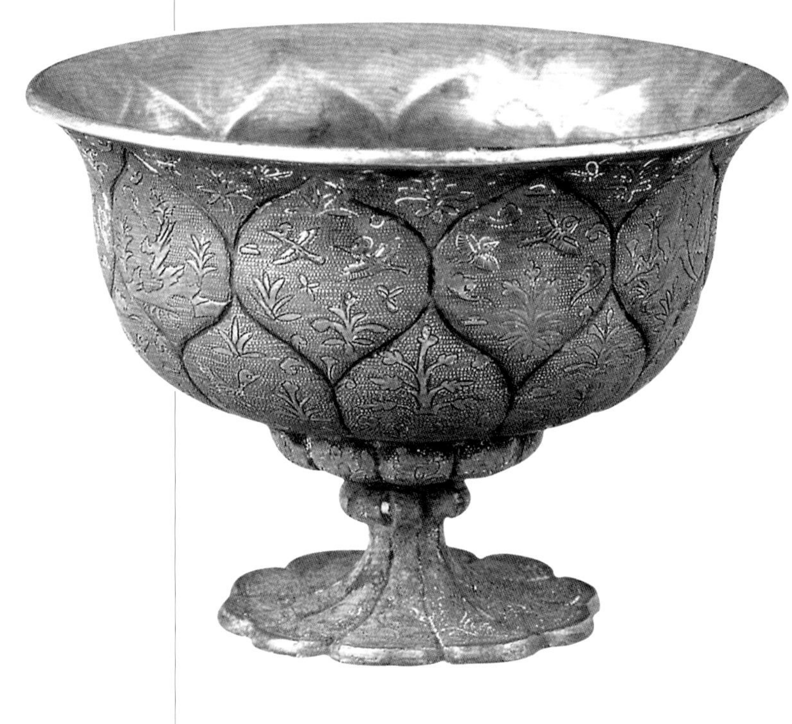

蓮瓣花鳥紋高足銀杯

唐

陝西西安市沙坡村唐代金銀器窖藏出土。
高5、口徑7.2厘米。
鍾鍱成型，花紋平鏨，魚子紋地。杯身鏨上下交錯的兩層蓮瓣，每瓣内刻飛鳥、流雲、樹木和山水。高足上有托盤，中部有算盤珠式結。足底爲花瓣形，面飾捲草紋。
現藏中國國家博物館。

狩獵紋高足銀杯

唐

陝西西安市沙坡村唐代金銀器窖藏出土。
高7.4、口徑6.3厘米。
鍾鍱成型，平鏨花紋，魚子紋地。頸部、腹下及圈足面上分别有石榴忍冬捲草。腹部刻四幅狩獵圖。圈足内在對稱部位刻“馬舍”二字。
現藏中國國家博物館。

鹿紋十二瓣銀碗

唐

陝西西安市沙坡村唐代金銀器窖藏出土。

高4、口徑14.7厘米。

錘鍱成型，花紋平鏨，口沿以下內束一周，腹壁鏨十二個“U”形瓣，碗心綫刻昂首前行的花角鹿一隻。

現藏中國國家博物館。

鹿紋十二瓣銀碗內底

鎏金銀香囊

唐

陝西西安市沙坡村唐代金銀器窖藏出土。
直徑4.8厘米。
通體鏤空纏枝花卉紋。球體中部有六個圓弧狀開光，内飾魚子紋地鎏金花鳥紋，上下球體之間有活扣可開啓，下半球體内有兩個同心圓環和盛放燃香的香盂。
現藏中國國家博物館。

鎏金銀香囊打開圖

樂伎八棱金杯

唐

陝西西安市何家村唐代金銀器窖藏出土。

高6.7、口徑7.4、足徑4.4厘米。

澆鑄成型，杯身八棱，以鏨出的聯珠爲欄界，每面各作一高浮雕狀樂伎，均係高鼻深目的胡人，手持各種樂器起舞奏樂。地紋及人物細部采用平鏨手法加工。

現藏陝西歷史博物館。

樂伎八棱金杯局部

掐絲團花金杯

唐

陝西西安市何家村唐代金銀器窖藏出土。

高5.9、口徑6.8厘米。

腹部焊有以扁金絲編成的薔薇式團花四朵。口沿和近底處飾相間朵雲紋，腹部一側焊“6”字形耳。

現藏陝西歷史博物館。

狩獵紋高足銀杯

唐

陝西西安市何家村唐代金銀器窖藏出土。

高7.3、口徑6厘米。

杯由杯體、托盤和高足三部分組成。杯身通體以魚子紋爲地，上部和下部飾纏枝紋，中部飾狩獵紋。器底刻“馬舍”二字。

現藏陝西歷史博物館。

仕女狩獵紋八瓣銀杯

唐

陝西西安市何家村唐代金銀器窖藏出土。

高5.1、口徑9.1厘米。

錘鍱成型，器身八瓣，口沿與足沿爲球狀聯珠綴成，杯身鏨刻各種姿態的仕女和騎馬狩獵圖案，下部飾一周凸起的蓮瓣。柄上端有如意雲頭狀護手，其上鏨刻一花角鹿紋，内底水波紋中有游魚三尾。

現藏陝西歷史博物館。

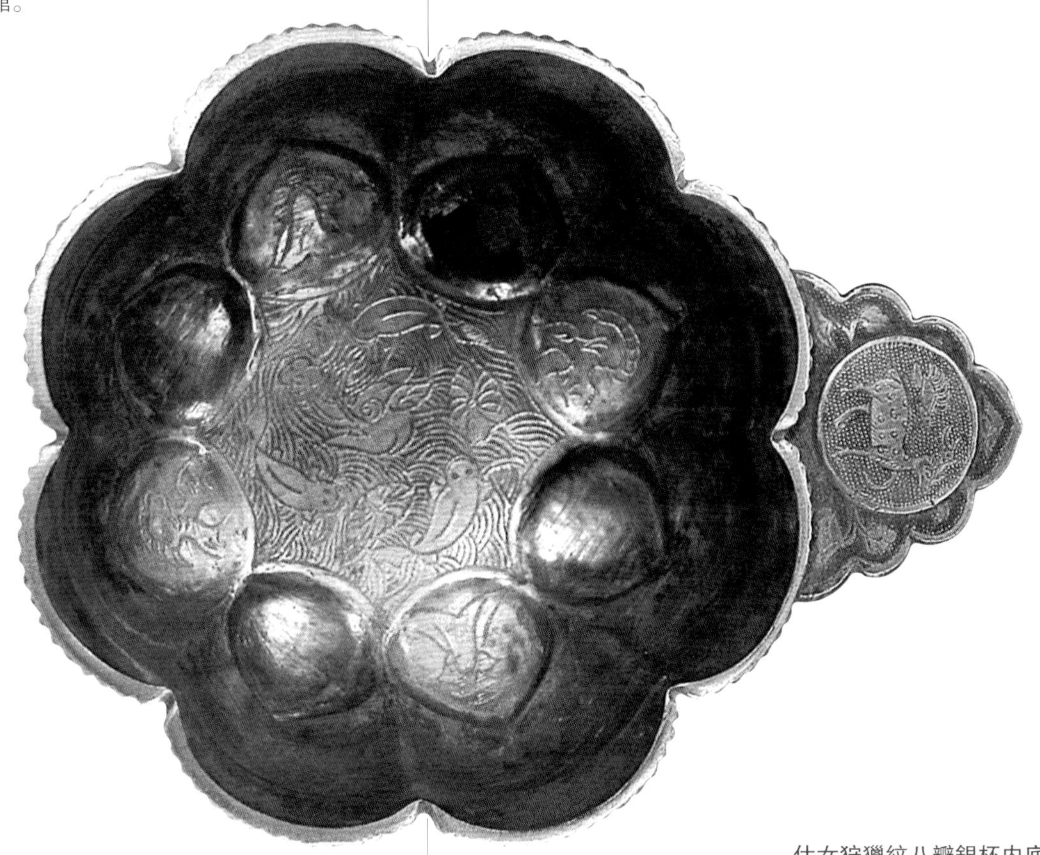

仕女狩獵紋八瓣銀杯内底

蓮花鴛鴦紋銀耳杯

唐

陝西西安市何家村唐代金銀器窖藏出土。

高3、口徑7.6–10.6厘米。

鍾鍱成型，長方形片狀雙耳焊于口沿之下。器内外底部刻橢圓形薔薇式團花各一朵，内壁鏨四株折枝蓮，餘白處填流雲紋，雙耳下外腹刻蓮花鴛鴦紋圖案。

現藏陝西歷史博物館。

蓮花鴛鴦紋銀耳杯内底

刻花赤金碗

唐

陝西西安市何家村唐代金銀器窖藏出土。

高5.5、口徑13.7厘米。

錘鍱成型，紋飾平鏨，通身飾魚子紋地。碗外壁浮雕相互交錯的兩層蓮花瓣狀紋飾，碗外底刻飛鳥一隻，周圍有五組纏枝捲草紋，碗内側有墨書“九兩半”三字。

現藏陝西歷史博物館。

刻花赤金碗外底

纏枝花龍鳳紋銀碗

唐

陝西西安市何家村唐代金銀器窖藏出土。

高4.2、口徑12.9厘米。

碗外壁以魚子紋爲地，用葡萄忍冬紋分成六組畫面，每組畫面飾飛禽和走獸等紋飾。底部圈足内飾一飛龍紋，碗内底飾一飛鳳紋。

現藏陝西歷史博物館。

纏枝花龍鳳紋銀碗外底

鎏金雙獅紋銀碗

唐

陝西西安市何家村唐代金銀器窖藏出土。

高3.6、口徑12.6厘米。

外腹壁錘出十個連體花瓣，并透映到内腹壁上。碗内底飾魚子紋地，中心飾鎏金雙獅，相對銜以纏枝花，獅足下方亦飾纏枝花，外圈爲繩索紋圓框。

現藏陝西歷史博物館。

鎏金雙獅紋銀碗内底

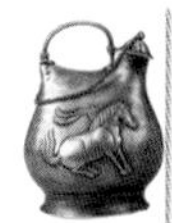

鎏金鏨花花鳥紋銀碗

唐

陝西西安市何家村唐代金銀器窖藏出土。

高3.4、口徑10.2厘米。

碗内底和外底均飾團花，内壁飾四朵折枝蓮花，外壁飾忍冬和石榴紋，間飾鴛鴦和鸚鵡。

現藏陝西歷史博物館。

鎏金鏨花銀蓋碗

唐

陝西西安市何家村唐代金銀器窖藏出土。

高9.8、口徑22厘米。

蓋頂圈足内鏨刻六出團花，外飾等距離團花六朵，腹部刻一周折枝花卉。蓋内有“卅兩并底”墨書一行，底足内側刻“卅兩三分”鏨文，蓋足内側有“卅兩一分”鏨文。

現藏陝西歷史博物館。

鎏金鏨花銀蓋碗

唐
陝西西安市何家村唐代金銀器窖藏出土。
高9.5、口徑21.8厘米。
蓋頂圈足内鏨刻六出團花，圈足外圍和器身各飾六朵鎏金團花。蓋内墨書“二斤一兩五”。
現藏陝西歷史博物館。

鎏金鏨花銀蓋碗蓋頂

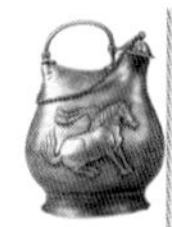

鎏金鏨花牡丹鸞鳥紋銀匜

唐

陝西西安市何家村唐代金銀器窖藏出土。

高10厘米。

雲山花樹之間置孔雀和鸞鳥。

現藏陝西歷史博物館。

鎏金熊紋銀盤

唐

陝西西安市何家村唐代金銀器窖藏出土。

高1、口徑13.4厘米。

六曲葵形口，盤心錘鍱一凸起的鎏金熊紋，昂首挺胸，作呼嘯狀。

現藏陝西歷史博物館。

桃形龜紋銀盤

唐

陝西西安市何家村唐代金銀器窖藏出土。

高1、口徑12.3厘米。

桃形盤心内飾一龜。

現藏陝西歷史博物館。

鎏金鸞鳥紋銀盤

唐

陝西西安市何家村唐代金銀器窖藏出土。

高1.5、口徑16.3厘米。

六曲葵瓣式口，盤内底模衝一隻作展翅欲飛狀鳳鳥。紋飾塗金。

現藏陝西歷史博物館。

鎏金神獸紋銀盤

唐

陝西西安市何家村唐代金銀器窖藏出土。

高1.4、口徑15.3厘米。

錘鍱成型，呈六瓣葵花形，盤心模衝一隻形象怪异的神獸。紋飾鎏金。

現藏陝西歷史博物館。

鎏金雙桃形雙狐紋銀盤

唐

陝西西安市何家村唐代金銀器窖藏出土。

高1.9、最大徑22.5厘米。

錘鍱成型，以雙連的兩個桃形構成盤身，每個桃心中間模衝出一隻塗金的長尾狐，皆作行走回首狀，上下呼應。

現藏陝西歷史博物館。

鎏金鏨花翼獸紋銀盒

唐

陝西西安市何家村唐代金銀器窖藏出土。

高6、口徑13厘米。

蓋中心飾一翼獸立于流雲之上。

現藏陝西歷史博物館。

鎏金鏨花翼獸紋銀盒頂面

鎏金鏨花蔓草紋銀盒

唐
陝西西安市何家村唐代金銀器窖藏出土。
高1.5、口徑3.8厘米。
通體刻滿蔓草紋。
現藏陝西歷史博物館。

鎏金鏨花蔓草紋銀盒頂面

鎏金串枝花銀盒

唐

陝西西安市何家村唐代金銀器窖藏出土。

高4.1、徑11.2厘米。

錘鍱成型，呈六曲狀。子母口，蓋與底紋飾相同，各刻一朵六瓣蓮花，盒的側面爲荷葉和石榴捲草紋圖案。

現藏陝西歷史博物館。

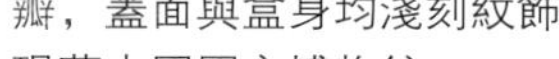

帶蓋銀藥盒

唐

陝西西安市何家村唐代金銀器窖藏出土。

高2.9、口徑4.3厘米。

盒蓋與盒身以子母口相套合，蓋中心透雕“十”字形花瓣，蓋面與盒身均淺刻紋飾。

現藏中國國家博物館。

鎏金舞馬銜杯紋銀壺

唐

陝西西安市何家村唐代金銀器窖藏出土。

高18.5厘米。

錘鍱成型，造型仿少數民族使用的皮囊壺。由兩半焊接而成，舞馬係模衝，提梁、壺口及紋飾皆作鎏金處理，圈足內有墨書“十三兩半”四字。

現藏陝西歷史博物館。

鎏金鏨花鸚鵡紋銀罐

唐

陜西西安市何家村唐代金銀器窖藏出土。

通高24.2、口徑12.4厘米。

通體飾魚子紋地紋，腹部陰刻鸚鵡和團花，蓋内墨書“紫英五十兩”和“白英十二兩”，推斷此罐爲儲存藥物之用。

現藏陜西歷史博物館。

獅子捲草紋金鐺

唐

陝西西安市何家村唐代金銀器窖藏出土。

高3.4、口徑9.2厘米。

内底飾雙獅相嬉，外壁以葉脉狀凸綫劃分數個部分，内飾捲草、獅子和飛鳥等，外底中心爲一花朵。

現藏陝西歷史博物館。

獅子捲草紋金鐺内底

獅子捲草紋金鐺外底

五足三層銀熏爐

唐

陝西西安市何家村唐代金銀器窖藏出土。

高33.3厘米。

爐分三層，燒鑄成型，紋飾鏤空。中層與下層通過四朵如意臥雲形成的子母口相連結。有五蹄足，周置五個環狀鈕，各繫吊鏈。

現藏陝西歷史博物館。

鎏金鏨花鸞鳳紋銀盒

唐

陝西西安市何家村唐代金銀器窖藏出土。

高10、長12、寬12厘米。

蓋頂與器身用合頁相連，有鈕扣可鎖。蓋頂滿飾花草紋。器身正面飾一對相對而立的孔雀，各銜一枝蔓草，站于蓮花上，周圍飾花草、飛鳥和天鵝等紋飾。器身兩側飾蔓草和碎花紋。

現藏陝西歷史博物館。

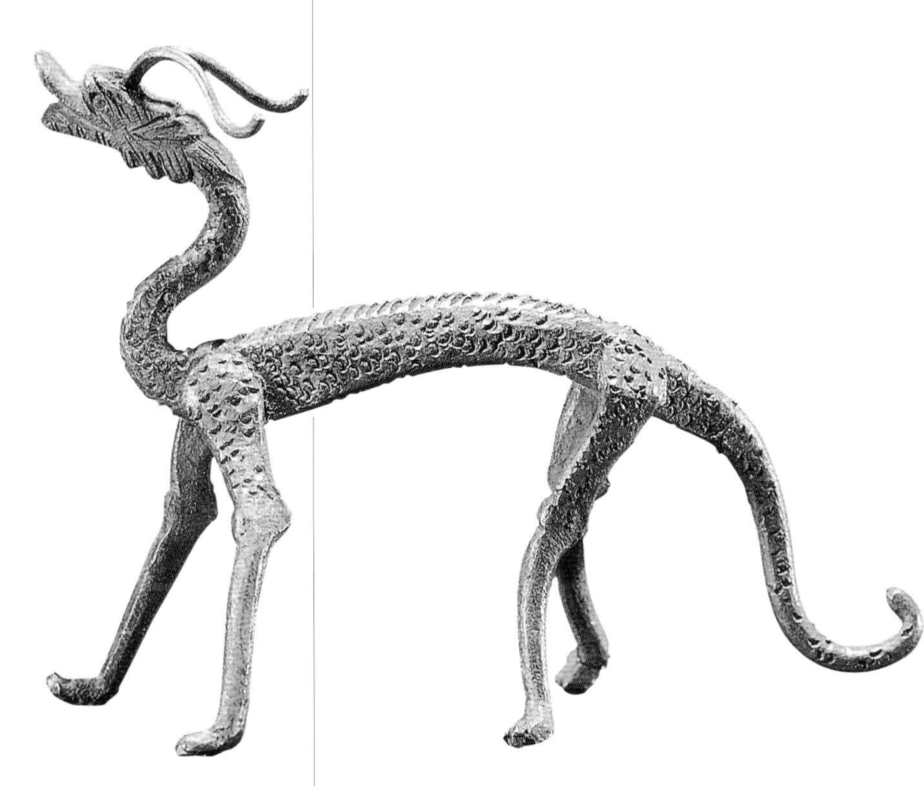

赤金龍

唐

陝西西安市何家村唐代金銀器窖藏出土。

高2.8、長4厘米。

通體鏨刻鱗紋，以陰綫刻畫面部，金龍呈直立狀，昂首凝視，精美异常。

現藏陝西歷史博物館。

花鳥蓮瓣紋高足銀杯

唐

陝西西安市韓森寨出土。

高5.1、口徑7.5厘米。

腹中部有凸棱一周，凸棱上下各有十個蓮瓣，内飾花鳥紋圖案，高足上部有大小兩層，形似花托，下束腰，足呈覆蓮瓣形，上飾花鳥忍冬紋。

現藏陝西歷史博物館。

蔓草花鳥紋銀杯

唐

陝西西安市韓森寨出土。

高5.3、口徑6.9厘米。

杯呈八棱形，外壁以魚子紋爲地，飾纏枝蔓草和花鳥紋，環柄上有桃形護手，其上鏨展翅飛翔的鴻雁，下以萱草相襯，足内底飾花瓣。

現藏陝西歷史博物館。

黃鸝折枝花銀盤

唐

陝西西安市西北工業大學出土。

高3、直徑24厘米。

錘鍱成型，花紋平鏨，紋飾塗金。盤内底中心有振翅黃鸝一隻，四周繞以呈圓形狀闊葉折枝花。底刻劃有“一十一兩二分”字樣。

現藏陝西省西安市文物保護考古所。

雙魚紋銀盤

唐

陝西西安市西北工業大學出土。

高1.8、口徑16.7厘米。

盤内底飾花瓣紋帶，中心飾雙魚。

現藏陝西省西安市文物保護考古所。

鎏金石榴花紋三足銀壺

唐

陝西西安市國棉五廠65號墓出土。

通高5.1、腹徑4.7厘米。

蓋作傘蓋形，飾團花草葉紋，頸部飾流雲紋，壺身爲石榴花結及鴛鴦、鳳鳥、喜鵲、飛鴻、松枝等紋飾，壺底飾團花紋。

現藏陝西省考古研究院。

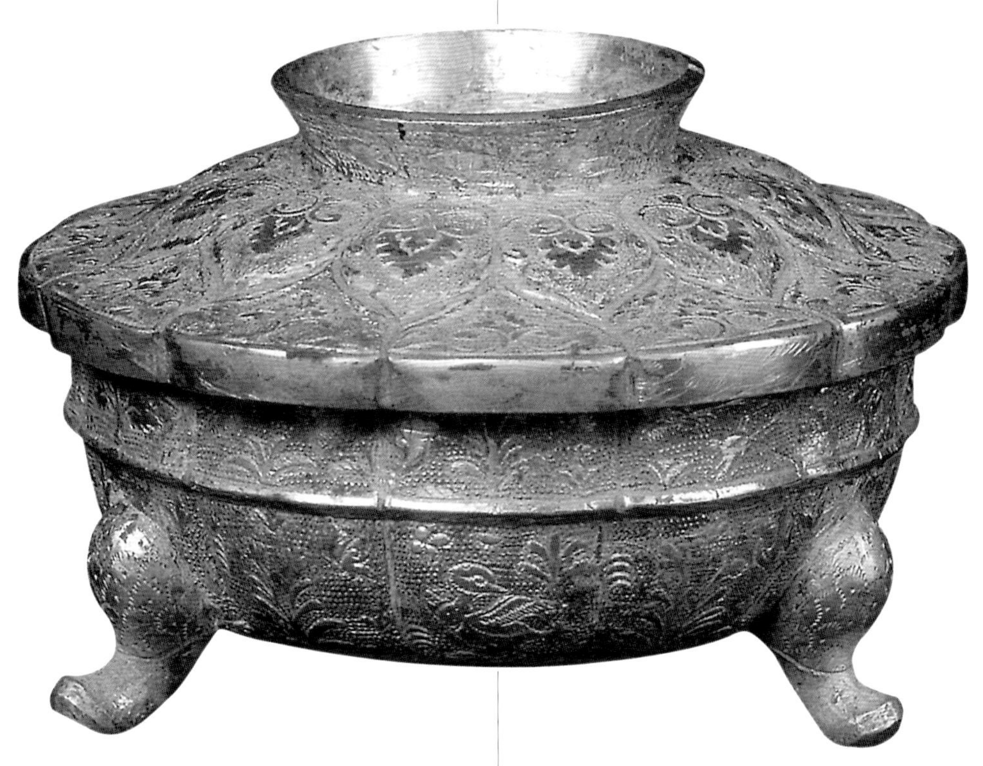

鎏金蓮瓣紋三足銀盒

唐
陝西西安市國棉五廠65號墓出土。
通高3.6、直徑5.3厘米。
圈足蓋鈕，蓮瓣形蓋，腹部十二曲，三蹄足，通體鏨刻鎏金纏枝花草及鸞鳥紋。
現藏陝西省考古研究院。

荷葉鴛鴦紋銀盒

唐
陝西西安市國棉五廠29號墓出土。
高1.2、直徑2.9厘米。
蓋與身形制相同，以子母口相合，盒兩面皆以魚子紋爲地，鏨刻荷葉鴛鴦紋，并襯以纏枝花草。
現藏陝西省考古研究院。

鎏金卧鹿紋銀盒

唐

陝西西安市國棉五廠65號墓出土。

高1.2、直徑2.8厘米。

魚子紋爲地，花紋鏨刻，表面鎏金，器壁及蓋壁飾流雲紋，蓋中部飾一對卧鹿，器底中部鏨刻僧人扶杖牽象圖。

現藏陝西省考古研究院。

鎏金鴻雁鴛鴦紋銀蚌盒

唐

陝西西安市國棉五廠65號墓出土。

直徑2.9–3.4厘米。

蓋與身以合頁相連，一面爲交頸飛鳥，另一面爲相對鴛鴦，皆襯以纏枝花草及鴻雁紋。

現藏陝西省考古研究院。

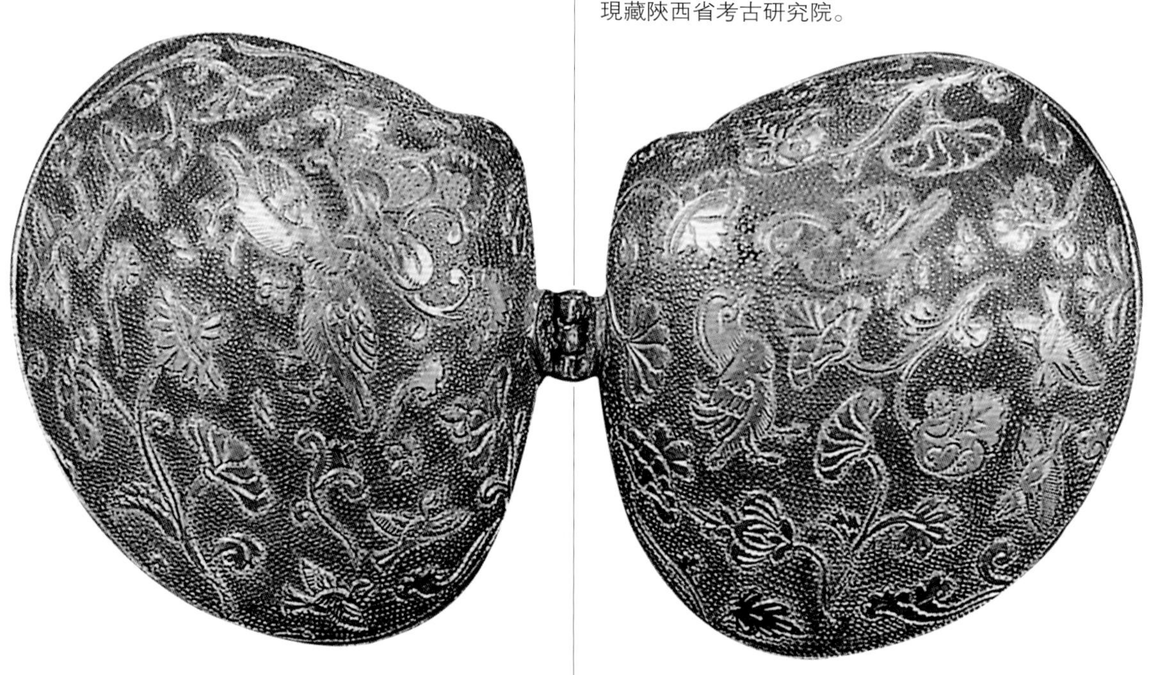

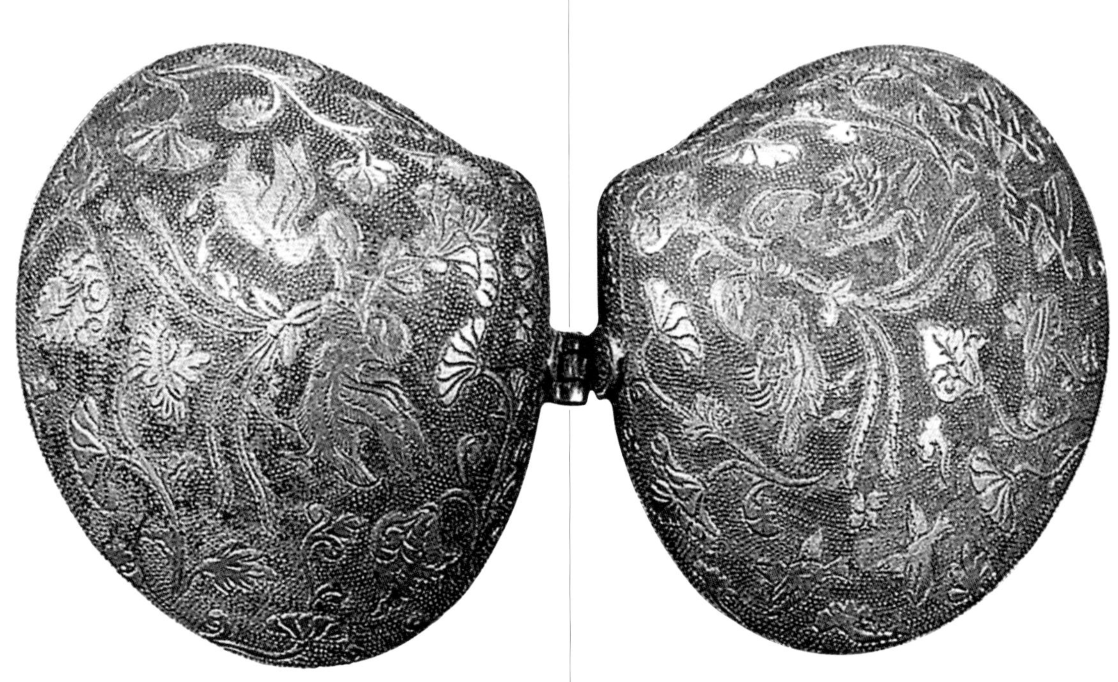

鎏金鴛鴦銜綬紋銀蚌盒

唐
陝西西安市國棉五廠29號墓出土。
徑3.2–3.9厘米。
蓋與身完全相同，以合頁相連。表面以魚子紋爲地，上飾鎏金鴛鴦銜綬紋飾，配以纏枝花葉。
現藏陝西省考古研究院。

鴻雁銜綬紋銀則

唐
陝西西安市國棉五廠29號墓出土。
長12厘米。
鴨首形柄，通體以魚子紋爲地，鏨刻折枝花草及鴻雁蓮紋等圖案。
現藏陝西省考古研究院。

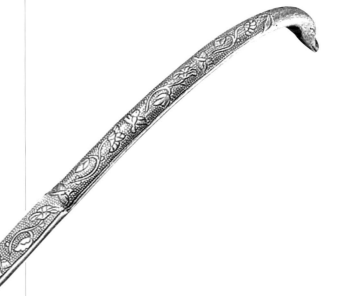

仕女狩獵紋八曲帶柄銀杯

唐

陝西西安市城建局出土。

高4.7、口徑8.7厘米。

腹部分八格，逐格分別飾仕女紋和狩獵紋，底部飾蓮瓣紋。杯原應配有高足。

現藏陝西省西安市文物保護考古所。

仕女狩獵紋八曲帶柄銀杯外底

鎏金獅紋三足銀盤

唐

陝西西安市八府莊東北出土。

高6.7、口徑40厘米。

錘鍱成型，浮雕花紋，盤心模衝一隻作回首怒吼狀的獅子，盤沿飾纏枝花葉紋。

現藏中國國家博物館。

鎏金獅紋三足銀盤內底

鎏金鏨花鸞鳳紋銀盤

唐

陝西西安市坑底村出土。

高2、口徑55厘米。

背面有銘文三行四十一字。爲唐臣裴肅向唐德宗李适的進獻之物。

現藏陝西歷史博物館。

鎏金團花紋銀唾壺

唐

陝西西安市灞橋區新築鄉出土。

高9.8、口徑14.3厘米。

口沿和壺腹部分別飾四組團花紋。

現藏陝西省西安市文物保護考古所。

摩羯紋金長杯

唐

陝西西安市太乙路出土。

高3.5、口徑7.1–13.1厘米。

杯呈四瓣海棠花形。内底飾摩羯戲珠紋，襯以海水紋，四周飾一圈聯珠紋。杯内壁飾四組折枝花紋，圈足飾一周仰蓮瓣紋。

現藏陝西歷史博物館。

鴻雁折枝花紋銀杯

唐

陝西西安市長安區南里王村韋洵墓出土。

高4.5、口徑5.2厘米。

外壁以魚子紋爲地。頸部有一道凸棱，口沿及下部飾如意雲紋，腹部飾鴻雁和折枝花草。

現藏陝西省考古研究院。

銀椁

唐

陝西西安市臨潼區新豐鎮慶山寺遺址出土。

高10–14.5、長21、寬7–12厘米。

銀椁用大量的珠寶作爲裝飾，顯得富麗堂皇。

現藏陝西省西安市臨潼區博物館。

金鳳凰

唐
陝西西安市郭家灘出土。
高6.8厘米。
共二件。鳳凰作展翅欲飛
現藏陝西省西安市文物保
護考古所。

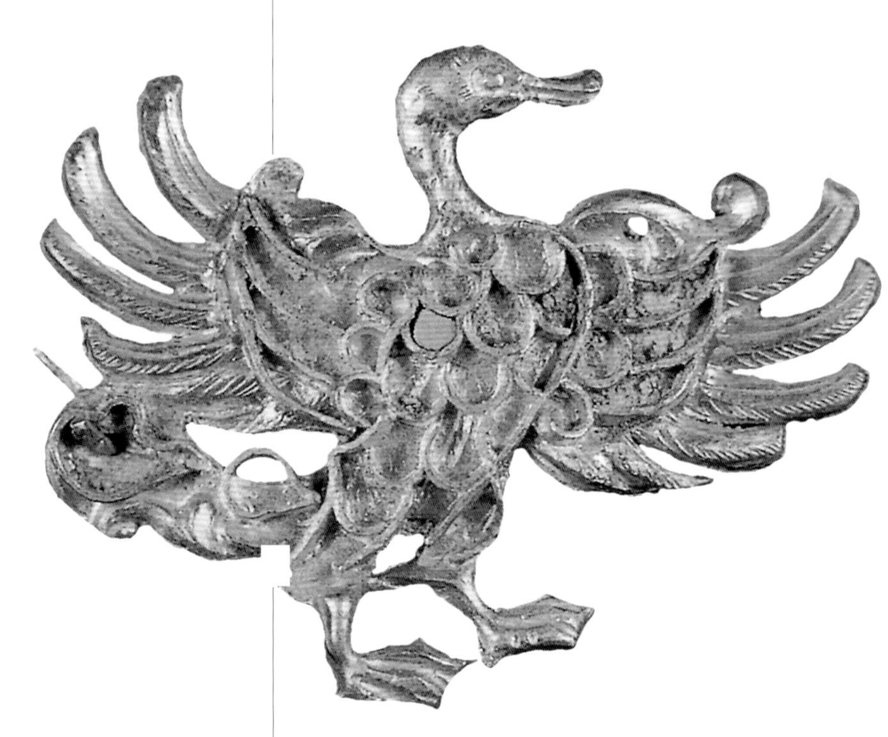

金鴻雁

唐

陝西西安市郭家灘出土。

高2.7厘米。

鴻雁身上鑲嵌緑松石。

現藏陝西省西安市文物保護考古所。

金龍

唐

陝西西安市郭家灘出土。

高4、長9.6厘米。

龍爲騰空奔馳狀，通體飾以魚鱗紋，曲頸上有五枚齒狀脊直立，兩前爪向上揮舞，後腿向後蹬，身軀下部的鏤空處原用作鑲嵌寶石。

現藏陝西省西安市文物保護考古所。

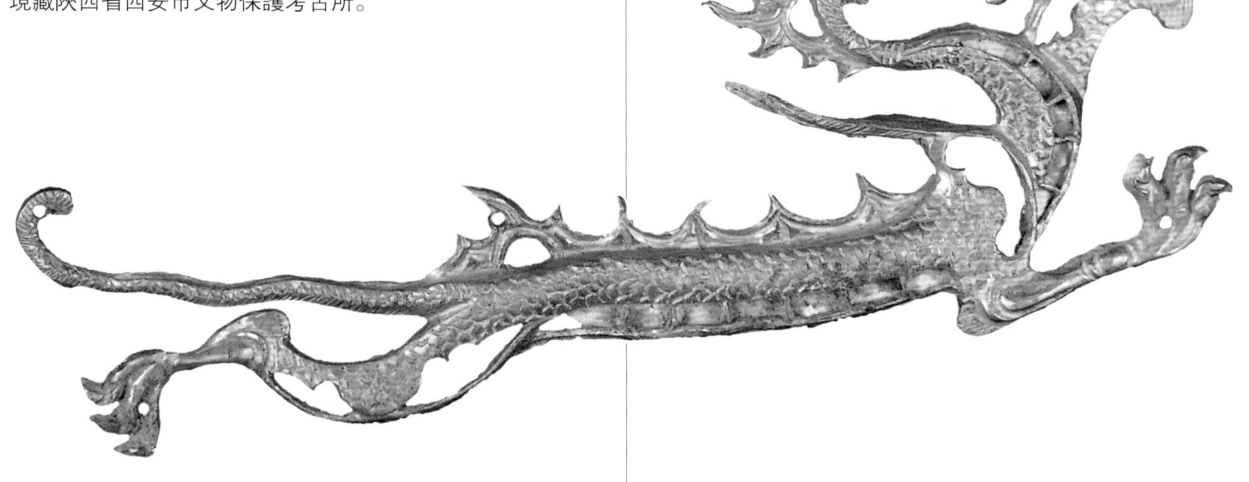

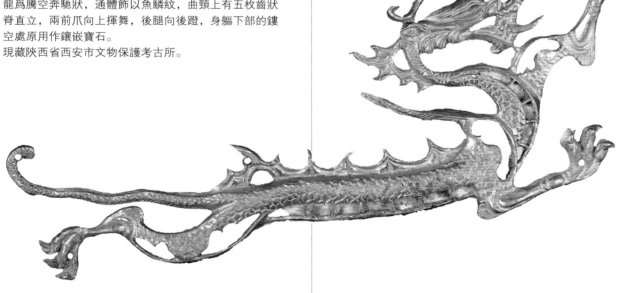

金樹

唐

陝西西安市郭家灘出土。

左高13.5、右高11.5厘米。

共二件。樹上纏繞藤蔓，枝頭有花朵，花朵上原鑲嵌緑松石。

現藏陝西省西安市文物保護考古所。

銀鏤勺

唐
陝西西安市唐光啓宮遺址出土。
長25.5厘米。
勺柄上刻有文字，爲皇宫專用器物。
現藏中國國家博物館。

鎏金銀簪

唐
陝西西安市電纜廠出土。
長17.5厘米。
上部透雕花葉紋。
現藏陝西省西安市文物局。

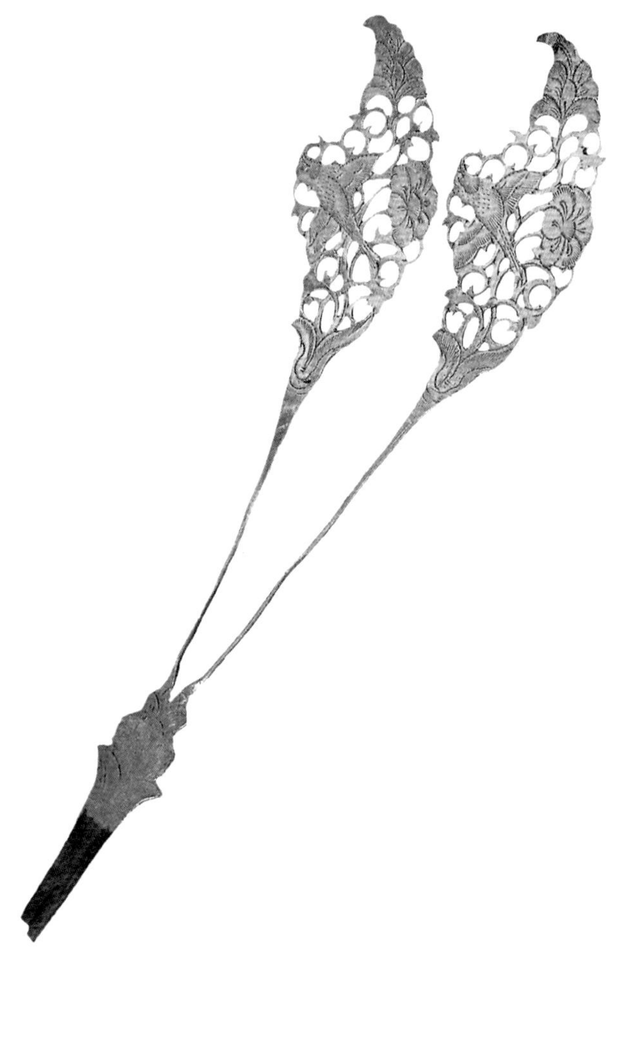

金花飾

唐

陝西西安市出土。

長6–7.2厘米。

出土時九件飾品裝于一對箱內。

現藏陝西省西安市文物局。

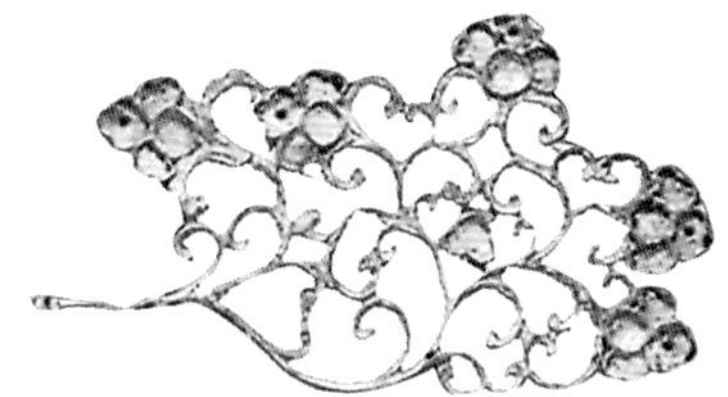

鴻雁蔓草紋金執壺

唐

陝西咸陽市西北醫療器械廠出土。

高21.3、口徑6.6厘米。

錘鍱成型，花紋平鏨，魚子紋地。壺身紋飾分成四個單元，自上而下分别爲蓮花、鴻雁、蔓草和蓮瓣紋。壺把呈如意狀，用鉚釘固定在壺身上，中間起脊，上卧一烏龜。

現藏陝西省咸陽博物館。

金頭飾

唐

陝西咸陽市國際機場賀若氏墓出土。

金頭飾由金胯托、金花鈿、金墜、金花等各種飾件和寶石、珍珠、玉飾等構成，計三百餘件。

現藏陝西省考古研究院。

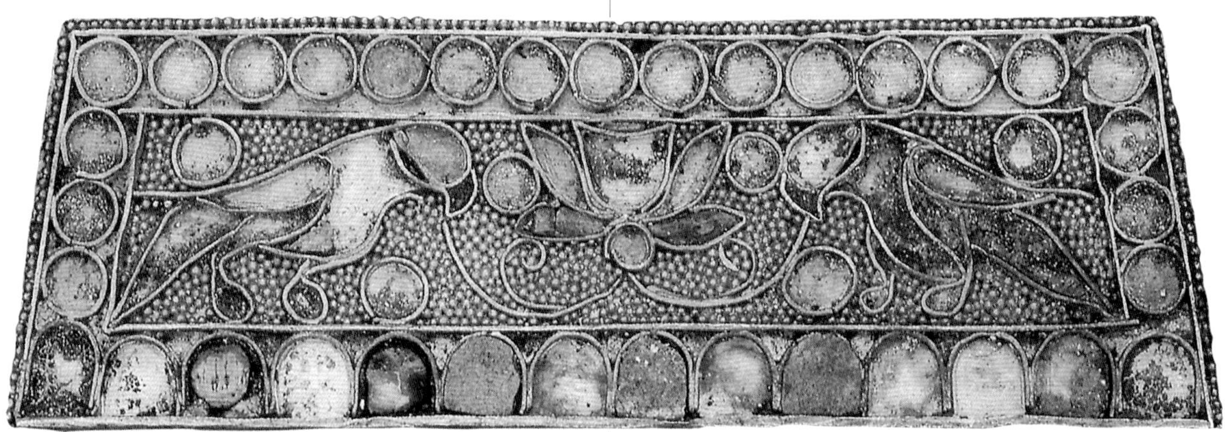

雙鵲戲荷紋金梳背

唐

陝西咸陽市國際機場賀若氏墓出土。

長5、寬1.5厘米。

平面呈梯形，沿外框一周飾聯珠紋，内框内一面爲荷花雙梅圖，另一面爲雙鵲戲荷圖，内框空白處皆以金珠填滿。

現藏陝西省考古研究院。

雙龍戲珠金手鐲

唐

陝西咸陽市唐墓出土。

直徑6.5厘米。

鑄造成型，通過兩軸扣合成一個整體。鐲上紋飾爲二龍相對圖案，與軸上的金珠恰好構成二龍戲珠。

現藏陝西省咸陽市文物保護中心。

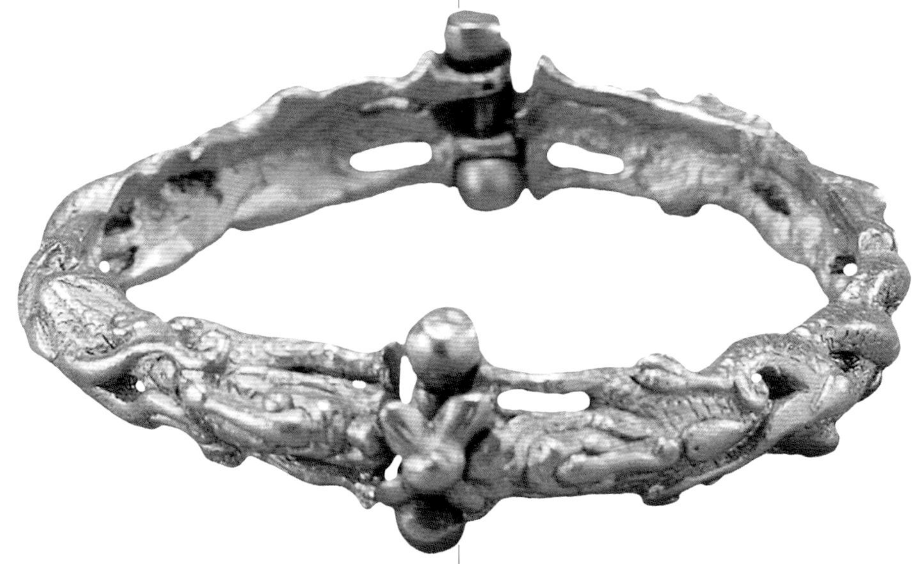

八重寶函

唐

陝西扶風縣法門寺塔唐代地宮出土。

出土時八重寶函相套。最外層爲檀香木所製，已殘損；第二重爲鎏金四天王盝頂銀寶函，第三重爲素面盝頂銀寶函，第四重爲鎏金如來説法盝頂銀寶函，第五重爲六臂觀音盝頂金寶函，第六重爲金筐寶鈿珍珠裝盝頂金寶函，第七重爲金筐寶鈿珍珠裝盝頂寶函，第八重爲寶珠頂單檐四門金塔，塔座正中焊接有高2.8厘米的銀柱，其上套佛指舍利一枚。

現藏陝西省法門寺博物館。

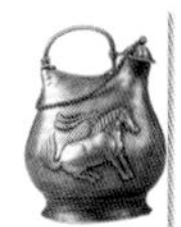

鎏金四天王盝頂銀寶函

唐

陝西扶風縣法門寺塔唐代地宮出土。

通高23.5厘米。

蓋頂飾龍鳳圖案，周圍繞以如意雲頭，正面主尊造像爲北方大聖毗沙門天王，右面主尊造像爲東方提頭賴吒天王，左面主尊造像爲西方毗婁勒叉天王，背面主尊造像爲南方毗婁博叉天王。

現藏陝西省法門寺博物館。

鎏金四天王盝頂銀寶函背面

鎏金四天王盝頂銀寶函側面

鎏金四天王盝頂銀寶函側面

鎏金如來説法盝頂銀寶函

唐

陝西扶風縣法門寺塔唐代地宮出土。

高16.2厘米。

蓋頂飾迦陵頻伽鳥紋，正面主尊造像釋迦金輪，右面主尊造像普賢菩薩，左面主尊造像文殊菩薩，背面主尊造像大日金輪。

現藏陝西省法門寺博物館。

鎏金如來説法盝頂銀寶函背面

鎏金如來説法盝頂銀寶函側面

鎏金如來説法盝頂銀寶函側面

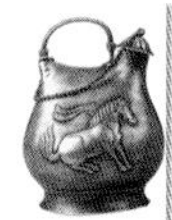

六臂觀音盝頂金寶函

唐

陝西扶風縣法門寺塔唐代地宮出土。

高13.5厘米。

蓋頂飾鳳鳥纏枝花草紋圖案，正面主尊造像六臂如意輪觀音菩薩，右面主尊造像金輪熾盛光佛，左面主尊造像藥師佛，背面主尊造像大日金輪。

現藏陝西省法門寺博物館。

六臂觀音盝頂金寶函背面

金筐寶鈿珍珠裝盝頂金寶函

唐

陝西扶風縣法門寺塔唐代地宮出土。

高12.3厘米。

蓋頂及寶函四面各飾一寶相花，盝頂周圍飾十六朵小簇花，皆用寶石做成花瓣，珍珠點綴其間。

現藏陝西省法門寺博物館。

金筐寶鈿珍珠裝盝頂金寶函頂面

寶珠頂單檐四門金塔

唐

陝西扶風縣法門寺塔唐代地宮出土。

高7.1厘米。

由塔身、塔座和墊片組成，座面飾海棠石榴紋，座側以蓮瓣紋點綴。塔中焊有高2.8、直徑0.7厘米的銀柱，其上套佛指舍利一枚。此塔專爲供養佛指舍利而作。

現藏陝西省法門寺博物館。

鎏金金剛界大曼荼羅成身會造像銀函

唐

陝西扶風縣法門寺塔唐代地宮出土。

高16.9厘米。

函四周鏨刻密宗金剛界大曼荼羅成身會道場。有咸通十二年（公元871年）供養題記。

現藏陝西省法門寺博物館。

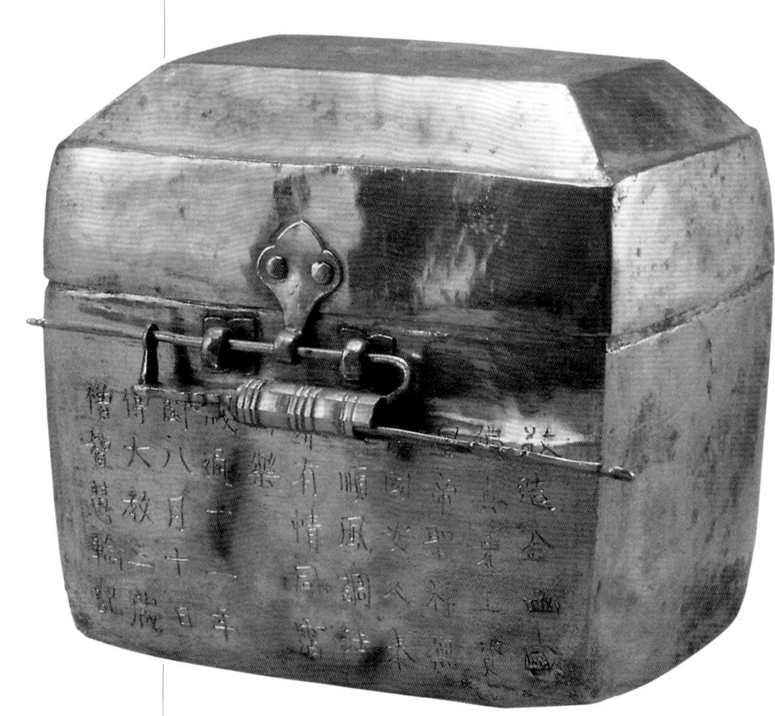

智慧輪盝頂金函

唐

陝西扶風縣法門寺塔唐代地宮出土。

高13.5厘米。

錘鍱成型，器蓋間有子母口，通體光素，正面鐫陰文。

現藏陝西省法門寺博物館。

素面盝頂銀函

唐

陝西扶風縣法門寺塔唐代地宮出土。

高22.7厘米。

函正面鏨文十行八十二字，記錄了長安城内善寺密教高僧智慧輪爲貯存佛骨舍利而施奉。

現藏陝西省法門寺博物館。

鎏金迦陵頻伽鳥紋銀棺

唐

陝西扶風縣法門寺塔唐代地宮出土。

高6.4、長8.2、寬5.4厘米。

棺兩側壁各鏨出一對迦陵頻伽。

現藏陝西省法門寺博物館。

鎏金帶釧面三鈷杵紋銀釧

唐

陝西扶風縣法門寺塔唐代地宮出土。

外徑10.8、寬1.9厘米，釧面高2.8、縱徑5.3、橫徑4.6厘米。

釧面橢圓，頂面飾吉母金剛杵，外緣繞一周蓮瓣，底緣飾一周流雲紋，釧截面呈“W”形，外壁飾金剛杵及捲草紋，内壁光素。

現藏陝西省法門寺博物館。

鎏金十字三鈷杵紋銀閼伽瓶

唐

陝西扶風縣法門寺塔唐代地宮出土。

高19.8厘米。

肩部焊接一長流，腹部飾四個十字三鈷金剛杵紋，外用蓮瓣圈成環狀，中以兩道弦紋相接，腹下部鏨一周八瓣仰蓮，仰蓮間立有三鈷金剛杵。腹部與圈足焊接，圈足內壁墨書“南”字。

現藏陝西省法門寺博物館。

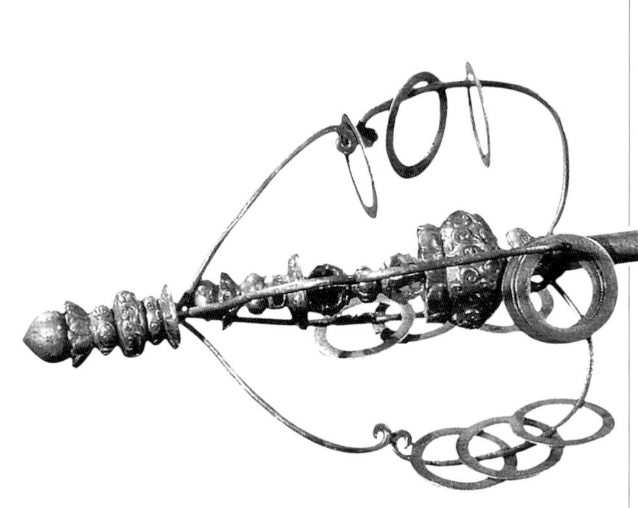

鎏金迎真身十二環銀錫杖

唐

陝西扶風縣法門寺塔唐代地宮出土。

長196厘米。

杖首四輪套十二環，柿蒂忍冬紋花結座，上托仰蓮、五鈷杵及智慧珠。錘鍱成型，杖身中空，表面鏨刻圓覺僧十四位。

現藏陝西省法門寺博物館。

鎏金迎真身十二環銀錫杖局部

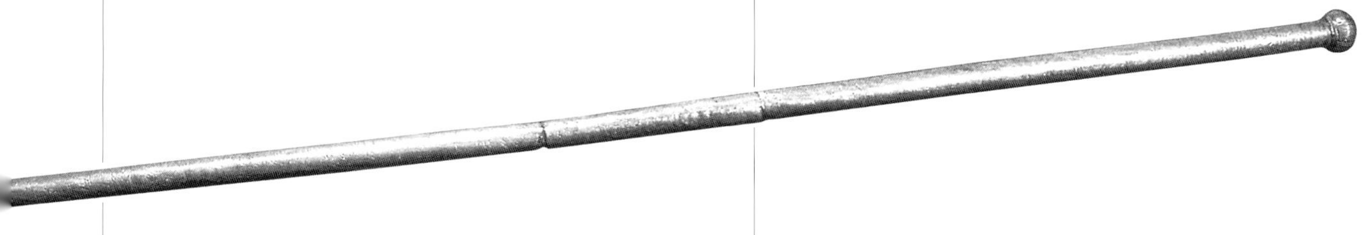

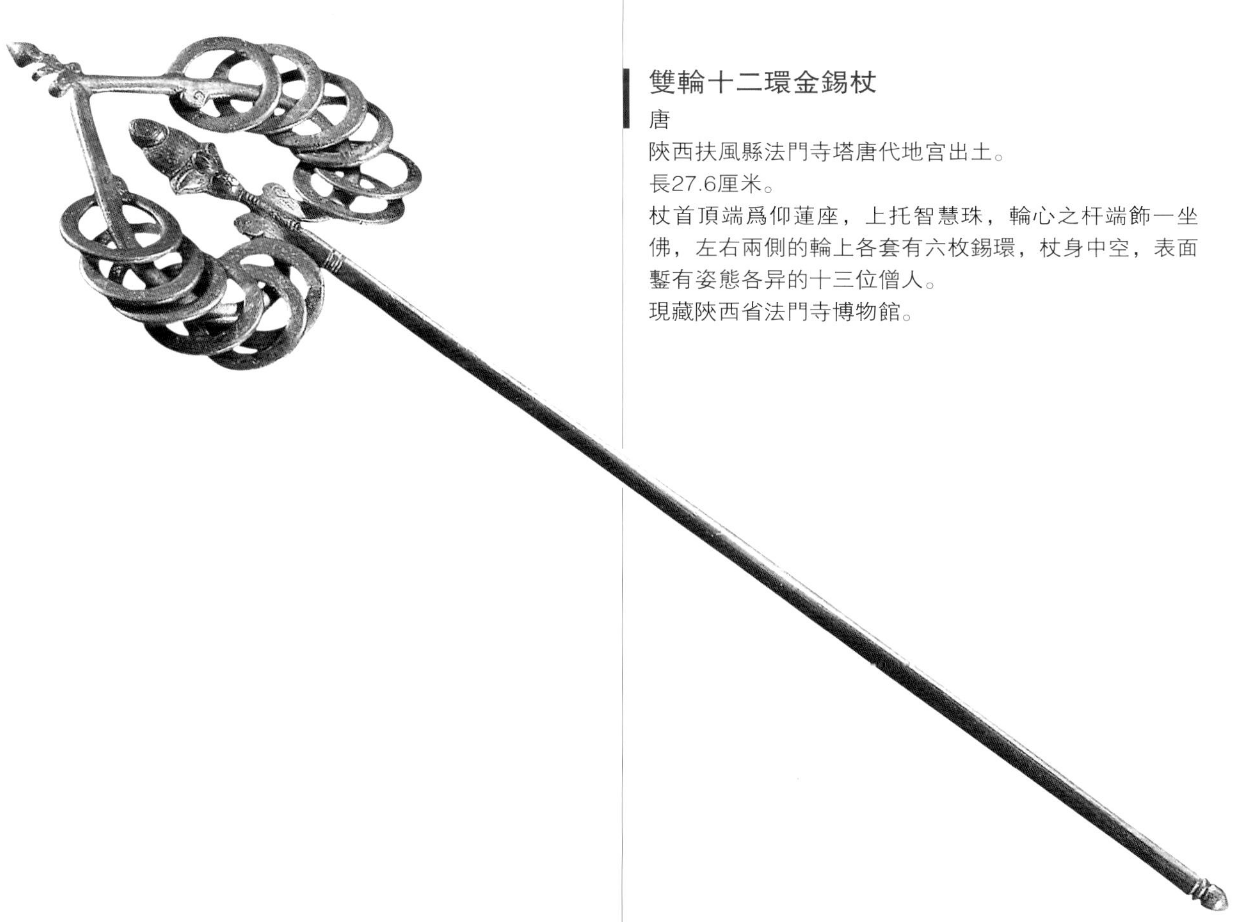

雙輪十二環金錫杖

唐

陝西扶風縣法門寺塔唐代地宮出土。

長27.6厘米。

杖首頂端爲仰蓮座，上托智慧珠，輪心之杆端飾一坐佛，左右兩側的輪上各套有六枚錫環，杖身中空，表面鏨有姿態各异的十三位僧人。

現藏陝西省法門寺博物館。

銀芙蕖

唐

陝西扶風縣法門寺塔唐代地宮出土。

高41厘米。

蓮葉係錘鍱而成，經過焊接，組成盛開的蓮花。

現藏陝西省法門寺博物館。

鎏金銀如意

唐

陝西扶風縣法門寺塔唐代地宮出土。

長51厘米。

雲頭鎏金。中間細綫淺刻一佛，結跏趺坐于仰蓮座上，兩側各一供奉童子。

現藏陝西省法門寺博物館。

鎏金壼門座波羅子

唐

陝西扶風縣法門寺塔唐代地宮出土。

每件高3.87、口徑10.2厘米。

一套五件，形制大小相同，以子母口相互套合，每件底面焊接“十”字形格架，圈足壁鏤空六個火焰形壼門。

現藏陝西省法門寺博物館。

鎏金菱弧形雙獅紋銀方盒

唐
陝西扶風縣法門寺塔唐代地宮出土。
高12、口徑16.8–17.3厘米。
盒體平面呈四出菱弧形，蓋與身形制相同，上下對稱，以子母口相套合。蓋面模衝兩隻作騰躍狀的獅子，周圍飾以纏枝花草。盒底外壁豎鏨四行三十三字："進奉延慶節金花陸寸方合壹具重貳拾兩江南西道都團練觀察處置等使臣李進"。
現藏陝西省法門寺博物館。

鎏金菱弧形雙獅紋銀方盒頂面

鎏金雙鳳銜綬紋銀方盒

唐

陝西扶風縣法門寺塔唐代地宮出土。

高9.5、邊長21.5厘米。

蓋與身形制相同，以子母口相合。蓋面中心鏨相對翱翔、口銜綬帶花結的雙鳳團花，團花處墨書兩行六字“隨真身御前賜”。盒底外壁豎鏨一行十二字“諸道鹽鐵轉運等使臣李福進”。

現藏陝西省法門寺博物館。

鎏金飛天仙鶴紋壼門座銀茶羅子

唐

陝西扶風縣法門寺塔唐代地宮出土。

長13.4、寬8.4、高9.5厘米。

爲仿木製箱匣結構，由蓋、身、座、羅、屜五部分組成。蓋頂飾兩身飛天，羅身兩側各飾兩位執幡駕鶴的仙人。

現藏陝西省法門寺博物館。

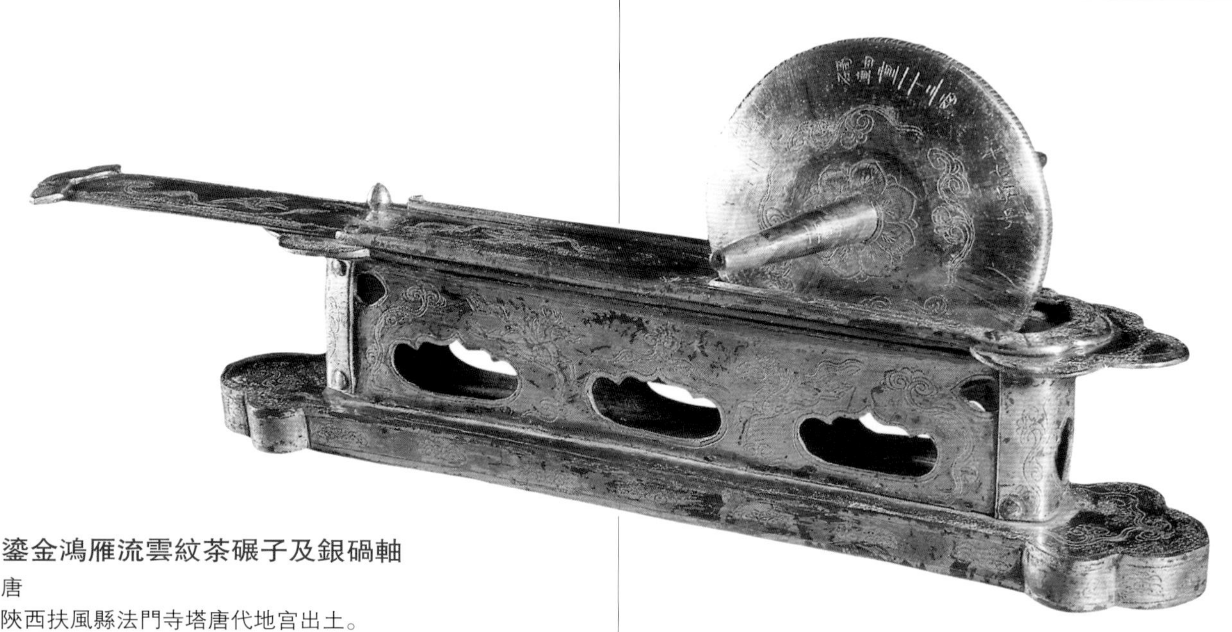

鎏金鴻雁流雲紋茶碾子及銀碢軸

唐

陝西扶風縣法門寺塔唐代地宮出土。

通高7.1、長27.4厘米。

由碾槽、碾座和轄板組成，槽面呈不閉合的“U”形，一端有插縫，爲插入轄板之用，槽座外鏤空爲壼門，底部與碾座焊接，碢軸呈圓餅狀，放入碾槽中滾動以碾碎茶餅。

現藏陝西省法門寺博物館。

鎏金龜形銀盒

唐

陝西扶風縣法門寺塔唐代地宮出土。

通高13、長28、寬15厘米。

分體錘鍱，焊接成型。龜的背甲爲盒蓋，腹及四足爲盒體，以子母口相套合，頸部、前胸及腹底部飾多道雙弦紋，側腹遍飾花蕊紋。

現藏陝西省法門寺博物館。

鎏金鴻雁金錢紋銀籠子

唐

陝西扶風縣法門寺塔唐代地宮出土。

通高17.8、直徑16.1厘米。

通體鏤空呈金錢紋，上飾鴻雁、團花及蓮瓣紋，口部鉚接環耳，上有提梁及銀鏈，足部爲三蓮瓣形，籠子底部邊緣鏨“桂管臣李杆進”六字。

現藏陝西省法門寺博物館。

金銀絲編結提籠

唐

陝西扶風縣法門寺塔唐代地宮出土。

通高15厘米。

籠體爲銀絲鏤空編結而成，籠蓋四曲，上飾金絲編成的塔形花及雲氣紋，四足爲天龍鋪首，籠口上下以金絲編的渦紋條子壓邊，并焊一周素面扁金條。此籠爲唐人貯茶餅的器具。

現藏陝西省法門寺博物館。

魚龍紋荷葉形蓋三足銀鹽臺

唐

陝西扶風縣法門寺塔唐代地宫出土。

通高27.9、口徑16.1厘米。

分蓋、臺盤和足架三部分。蓋鈕中空，有鉸鏈可以開合，蓋面鏨四尾魚龍紋，臺盤淺腹平底，沿面盤底均鏨蓮瓣蓮蓬紋。三足内側鏨有“咸通九年文思院造銀塗金鹽臺一隻”十五字銘文，咸通九年爲公元 868年。

現藏陝西省法門寺博物館。

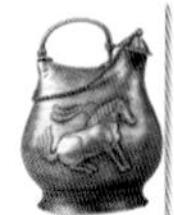

鎏金十字折枝花圈足銀碟

唐

陝西扶風縣法門寺塔唐代地宮出土。

高1.4、口徑10.2厘米。

共六件。錘鍱成型，紋飾塗金。坦腹，圈足，碟內底鏨團花一朵，周圍繞以五朵十字折枝花。

現藏陝西省法門寺博物館。

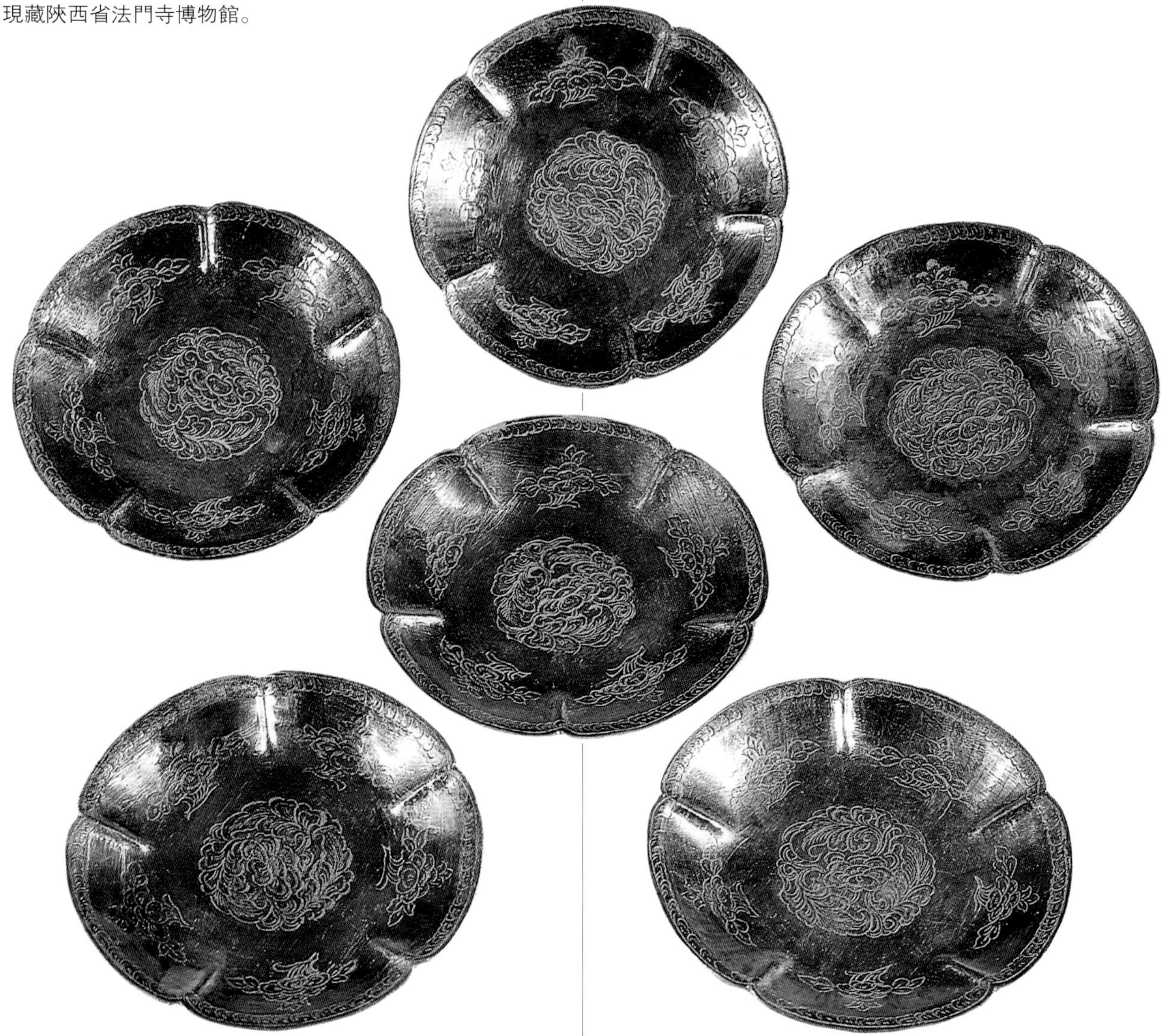

素面銀風爐

唐

陝西扶風縣法門寺塔唐代地宮出土。

通高56、蓋沿外徑23.2、爐面口徑20.7、足沿外徑34.6厘米。

由爐蓋和爐身組成。爐身腹壁爲内外兩層相鉚合，爐底除與内層腹壁鉚接外，其下焊有用作承托的“十”字形銅片，爐身通體鉚釘之端均飾以小銀花，部分已脱落。爐蓋出土時，蓋面貼一墨書“大銀香爐臣楊復恭”的簽封。

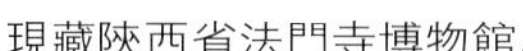

現藏陝西省法門寺博物館。

鎏金銀香球

唐

陝西扶風縣法門寺塔唐代地宮出土。

直徑12.8、鏈長24.5厘米。

香球通體透雕折枝花紋，兩半球腹壁各有五組鎏金雙蛾團花紋開光。

現藏陝西省法門寺博物館。

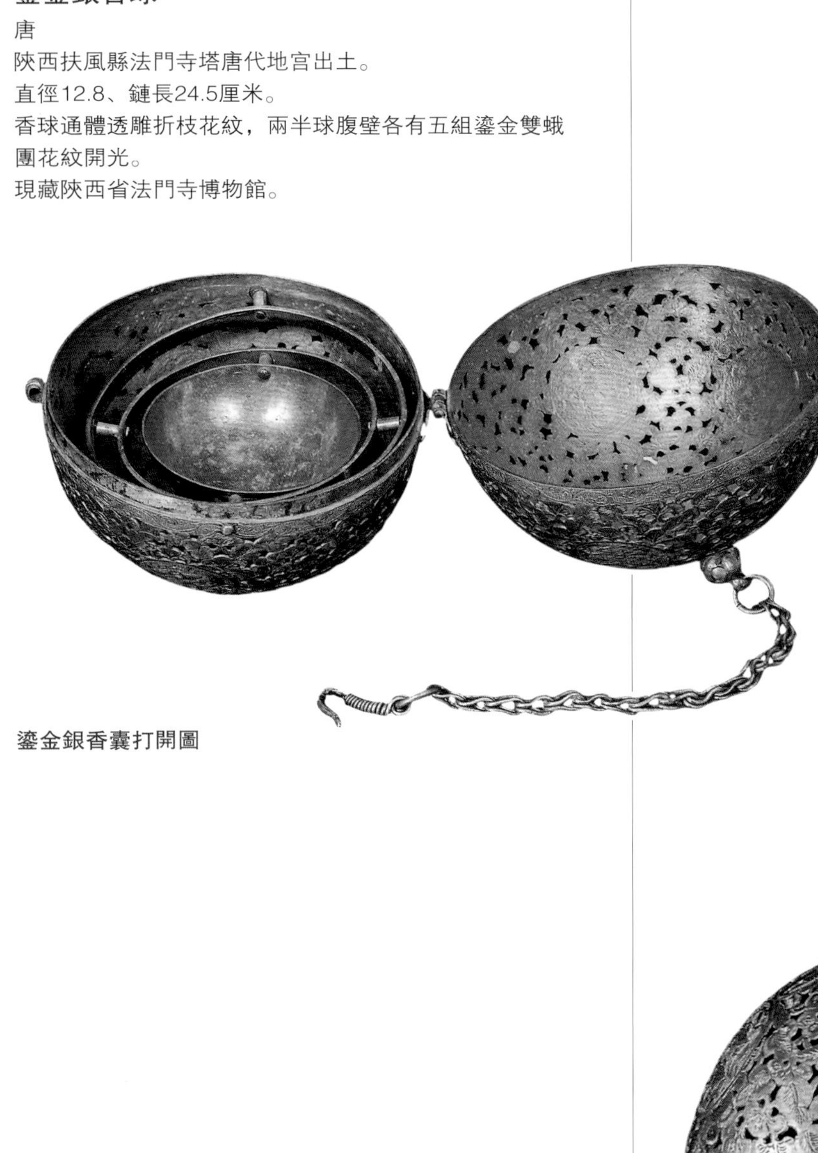

鎏金銀香囊打開圖

鎏金人物圖銀香寶子

唐

陝西扶風縣法門寺塔唐代地宮出土。

通高24.7厘米。

蓋面四等份，裝飾獅紋蔓草，腹部有四個開光，每一個開光内有一組以人物爲主題的圖案。

現藏陝西省法門寺博物館。

鎏金蓮花卧龜紋銀熏爐

唐

陝西扶風縣法門寺塔唐代地宮出土。

熏爐高29.5、蓋徑20.6厘米，爐臺高20.8、直徑45厘米。

熏爐上飾纏枝花草及流雲紋，腹部鉚接五個獨角獸形足，蓋底墨記十字。爐臺内部滿飾花紋，外壁亦鉚接五個獨角獸形足，臺底鏨刻銘文四十八字，記此器製于咸通十年（公元869年），唐懿宗供養。

現藏陝西省法門寺博物館。

鎏金蓮花卧龜紋銀熏爐爐臺紋飾

鎏金雙雁紋海棠形銀盒

唐

陝西扶風縣法門寺塔唐代地宮出土。

高5厘米。

盒呈海棠狀。蓋面隆起，飾二首尾相對的鴻雁。

現藏陝西省法門寺博物館。

鎏金仰蓮荷葉紋銀碗

唐

陝西扶風縣法門寺塔唐代地宮出土。

高8、口徑16厘米。

碗壁模衝上下兩層相互交錯的蓮瓣，瓣尖形成口沿，圈足做向上翻捲的荷葉狀，使整個碗的造型像一朵盛開的蓮花。

現藏陝西省法門寺博物館。

鎏金鴛鴦團花紋雙耳大銀盆

唐

陝西扶風縣法門寺塔唐代地宫出土。

高15.5、口徑46.5厘米。

盆壁作四瓣蓮花狀，外飾闊葉石榴花卉，内壁及盆底鏨刻鴛鴦團花紋，盆外兩側各鉚接一獸形鋪首，口銜滿鏨海棠花紋的圓環，盆底鏨有“浙西”兩字。

現藏陝西省法門寺博物館。

鎏金鴛鴦團花紋雙耳大銀盆内底紋飾

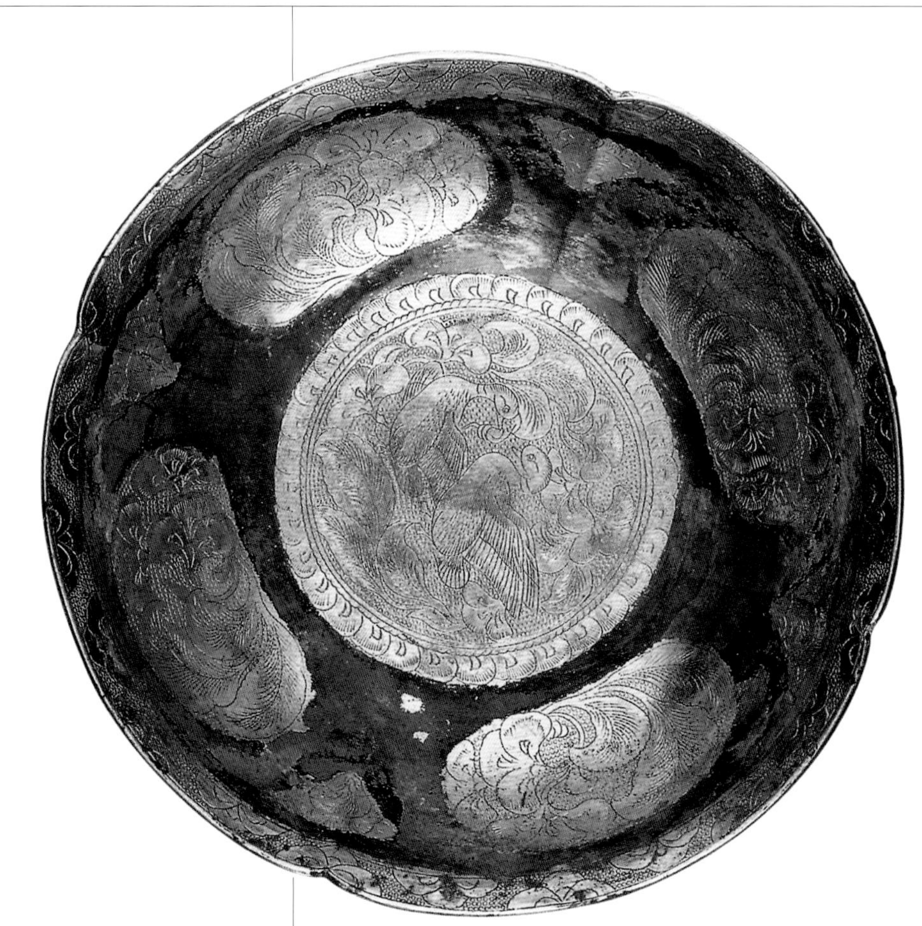

鎏金花鳥紋銀碗

唐
陝西出土。
高4.3、口徑15.5厘米。
底部飾二鳥戲于花叢中，内壁飾四組花葉紋。紋飾鎏金。
現藏中國國家博物館。

狩獵紋六瓣銀脚杯

唐
高5.5、直徑8.7厘米。
錘鍱成型，圈足焊接。腹壁劃分爲六瓣，以魚子紋爲地，每瓣内有騎馬狩獵者奔馳于樹叢之中。
現藏日本神户白鶴美術館。

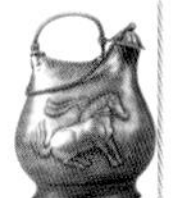

狩獵紋銀壺

唐

高46.6、口徑42.9厘米。

腹部紋飾爲在山野中追逐獵物的十二位騎馬人物。

現藏日本奈良正倉院。

狩獵紋銀壺局部

鎏金雙魚紋四曲銀杯和杯托

唐

河南洛陽市伊川杜溝村唐齊國太夫人墓出土。

杯高3.5、長徑14、短徑8厘米，托高0.5、長徑20.2厘米。

四瓣花形杯，表面鎏金，内底飾雙魚紋。荷葉紋杯托，内底凸起部分飾菱格紋，周圍飾流雲紋和四組雙鴻雁紋，托口緣飾四組雙魚紋，紋飾鎏金。

現藏河南省洛陽博物館。

鎏金雙魚紋四曲銀杯内底

鎏金雙魚紋四曲銀杯杯托内底

鎏金菱花形鹿紋三足銀盤

唐

河北寬城滿族自治縣大野鷄峪村出土。

高10、直徑50厘米。

錘鍱成型，呈六瓣菱花形。盤心模衝一隻肉芝頂鹿，作昂首站立狀，盤沿上模衝扁團花六朵，外底焊接捲葉形足三枚。紋飾部分鎏金。

現藏河北省博物館。

鎏金菱花形鹿紋三足銀盤内底

銀執壺

唐

河北寬城滿族自治縣大野鷄峪村出土。

高36.5、腹徑13.5厘米。

帶流式盤口，長頸，圓腹，高圈足，全身光素。

現藏河北省博物館。

鎏金銀塔

唐

河北定州市静志寺塔基地宫出土。

高13.9厘米。

塔形爲單層六面亭閣式，以花卉和雲氣紋裝飾。塔身與座基用銀絲聯綴而成，塔身轉角與池内有銘文九十四字， 記載了唐代静志寺的興廢。

現藏河北省定州市博物館。

八卦紋龜形銀盒

唐

山西繁峙縣金山鋪出土。

高18.5厘米。

龜甲爲盒蓋，龜身爲盒身。龜甲上飾八卦紋。

現藏山西省忻州市博物館。

蓮瓣紋銀碗

唐

甘肅武威市凉州區南營青嘴灣武氏墓出土。

高5、口徑11厘米。

碗内、外壁均飾八瓣蓮花，花瓣間飾花草紋。碗内底飾一圈聯珠紋，圈内飾水波紋，中心飾水草花及三條首尾相接的游魚。碗足飾一周聯珠紋。

現藏甘肅省武威市博物館。

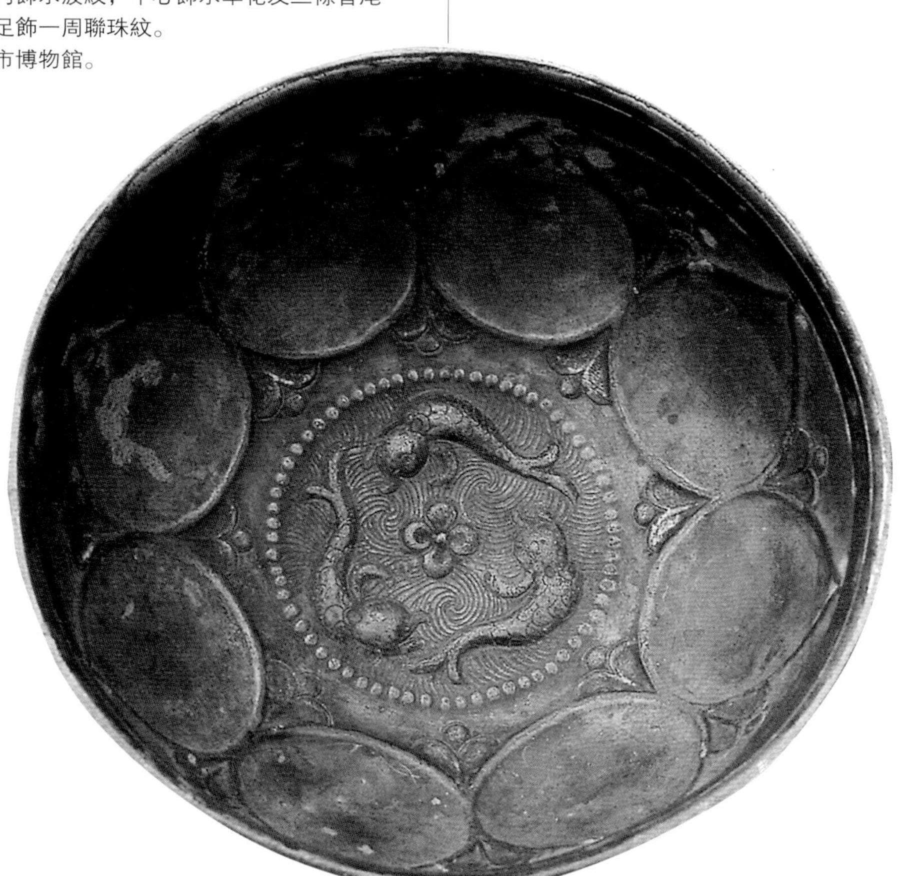

蓮瓣紋銀碗内底

鑲綠松石金壺

唐

甘肅肅南裕固族自治縣西水鄉大長嶺出土。

高17.5、口徑6.5厘米。

鼓腹高頸，半球形壺蓋，蓋頂中央有聯珠束腰蓮紋捉鈕。壺肩部飾凸弦紋一周，腹部接一環形把，把上有花形指墊，墊上鑲嵌一綠松石。

現藏甘肅省肅南縣博物館。

龍紋金牌飾

唐

甘肅榆中縣朱家灣村出土。

直徑2.7厘米。

外區飾細櫛紋，內區飾團龍，邊緣兩朵靈芝狀雲，龍體彎曲盤繞。牌邊有四小孔。

現藏甘肅省榆中縣博物館。

金棺銀椁

唐

甘肅涇川縣大雲寺出土。

金棺高3.1–4.6、寬2.3–3.5厘米，蓋長7.5厘米，棺座長7.1、寬4.6–5.4厘米；銀椁高5.4–7.1、寬4.9–6厘米，蓋長10.7厘米，椁座長10.5、寬6.7–8.4厘米。

出土時鎏金銅匣、銀椁、金棺及舍利瓶層層套置于一石函內。金棺和銀椁分别用金片和銀片焊接而成。

現藏甘肅省博物館。

銀鳳凰

唐
長20.6厘米。
鳳鳥回首向尾，口微張，頭頂靈芝形羽冠，雙翅展開，似在飛翔。
現藏甘肅省慶陽市博物館。

動物紋圓形金飾

唐
寧夏固原市開城鎮王涝壩村史道德墓出土。
直徑3厘米。
錘鍱而成，單面花紋，正中爲一動物，短頸，呈行進狀，爲飾物。
現藏寧夏回族自治區固原博物館。

獸面金飾

唐
寧夏固原市開城鎮王涝壩村史道德墓出土。
高2.8、寬3.1厘米。
錘鍱而成，單面花紋，正面花紋微凸，背面花紋略凹。
頂部對稱有兩耳，中有一穿孔。雙眼爲渦紋狀。
現藏寧夏回族自治區固原博物館。

金覆面

唐

寧夏固原市開城鎮王澇壩村史道德墓出土。

由十一件構件組成，出土時覆面上綴連的絲織品已腐朽。

現藏寧夏回族自治區固原博物館。

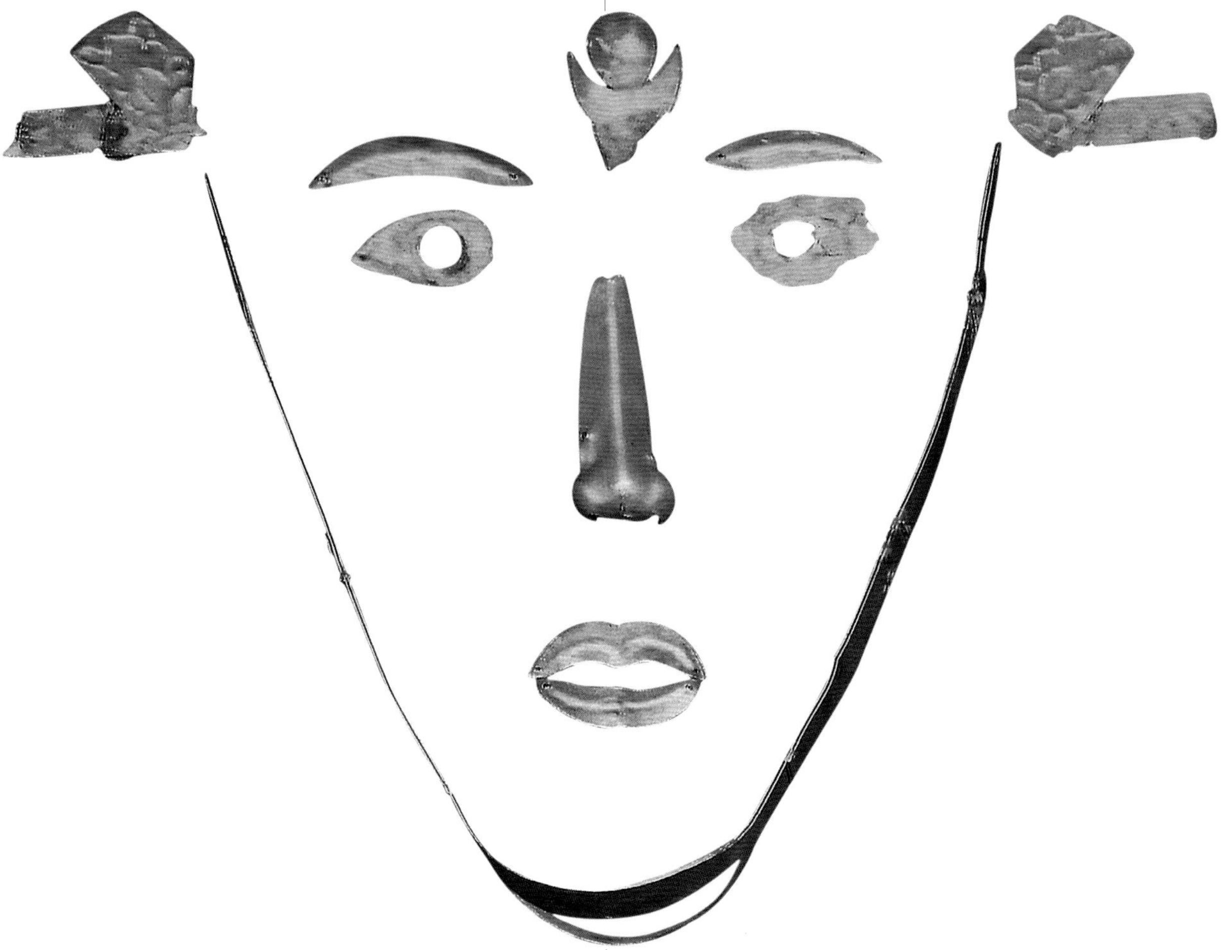

鎏金雙魚形銀壺

唐

内蒙古喀喇沁旗錦山鎮窖藏出土。

高28.5厘米。

直立形雙魚合抱成扁圓形壺體，雙魚嘴相合爲壺嘴，魚尾展開爲壺底。

現藏内蒙古自治區喀喇沁旗博物館。

鎏金獅紋銀盤

唐

內蒙古喀喇沁旗錦山鎮窖藏出土。

高2.4、口徑46.6厘米。

錘鍱成型，呈六曲葵瓣形，三足已佚。盤心模衝一隻呈蹲臥回首狀的獅子，繞獅一周鏨刻六組折枝團花，沿上飾寶相蓮瓣一周。

現藏內蒙古自治區喀喇沁旗博物館。

鎏金卧鹿團花紋銀盤

唐

内蒙古喀喇沁旗錦山鎮窖藏出土。

高2.2、口徑46.6厘米。

盤呈六曲葵瓣形。盤内沿鏨六組團花圖案。底心飾卧鹿紋，頭頂有一肉芝，鹿身周襯以石榴和蕉葉組成的團花。内壁飾六組分别以蕉葉、葡萄和菊花等組成的團花圖案。外底鏨刻五十五字楷書銘文。

現藏内蒙古自治區喀喇沁旗博物館。

鎏金魚龍紋銀盤

唐

內蒙古喀喇沁旗錦山鎮窖藏出土。

高2、口徑47.8厘米。

錘鍱成型，模衝紋樣。器口呈六曲葵瓣式，沿上錘鍱葡萄、牽牛花紋兩種，相間排列，內底飾一對凸起的魚龍，周圍鏨刻牽牛花，盤底有三個呈鼎足狀排列的圓形凹痕。

現藏內蒙古博物院。

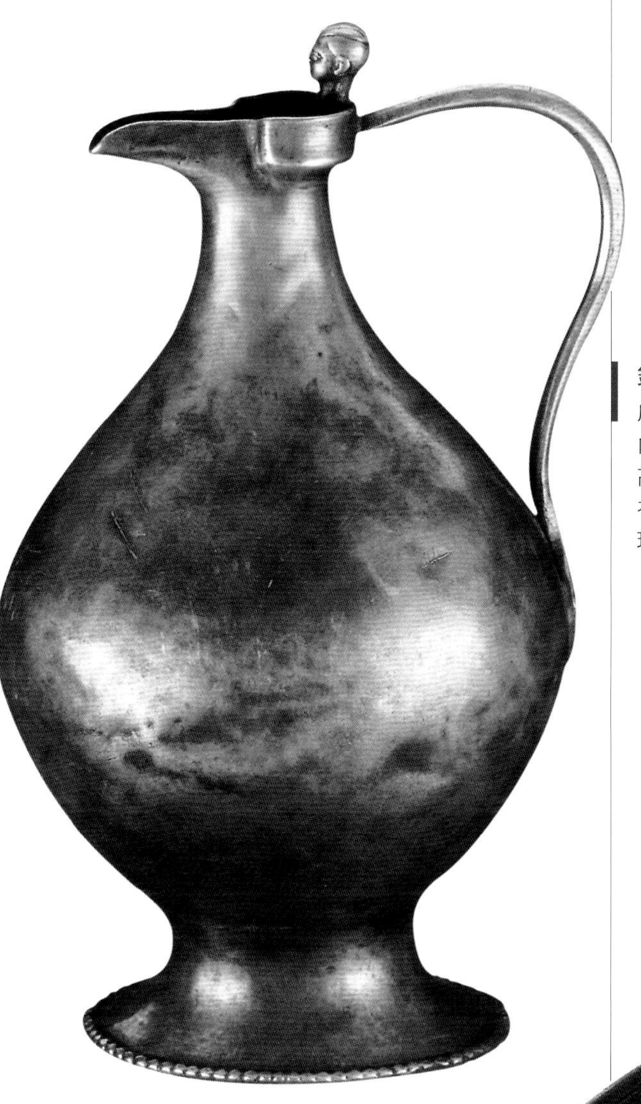

銀執壺

唐
内蒙古敖漢旗李家營子1號唐墓出土。
高28厘米。
在把和口相接處有一鎏金胡人頭。
現藏内蒙古博物院。

鎏金猞猁紋銀盤

唐
内蒙古敖漢旗李家營子1號唐墓出土。
高3.3、口徑18厘米。
錘鍱成型，侈口，圓唇，腹壁斜收，喇叭形圈足，盤心模衝一隻作行走狀的猞猁。
現藏内蒙古自治區敖漢旗博物館。

鎏金海棠形摩羯紋銀杯

唐
內蒙古和林格爾縣出土。
高4.2、口徑14.8厘米。
四瓣海棠花式口，內底飾摩羯魚紋。
現藏內蒙古博物院。

鰐魚紋金冠飾

唐
內蒙古土默特左旗水磨溝出土。
長21厘米。
彎月形，兩端上翹。正中飾獸面，兩側飾相對的鰐魚紋。
現藏內蒙古博物院。

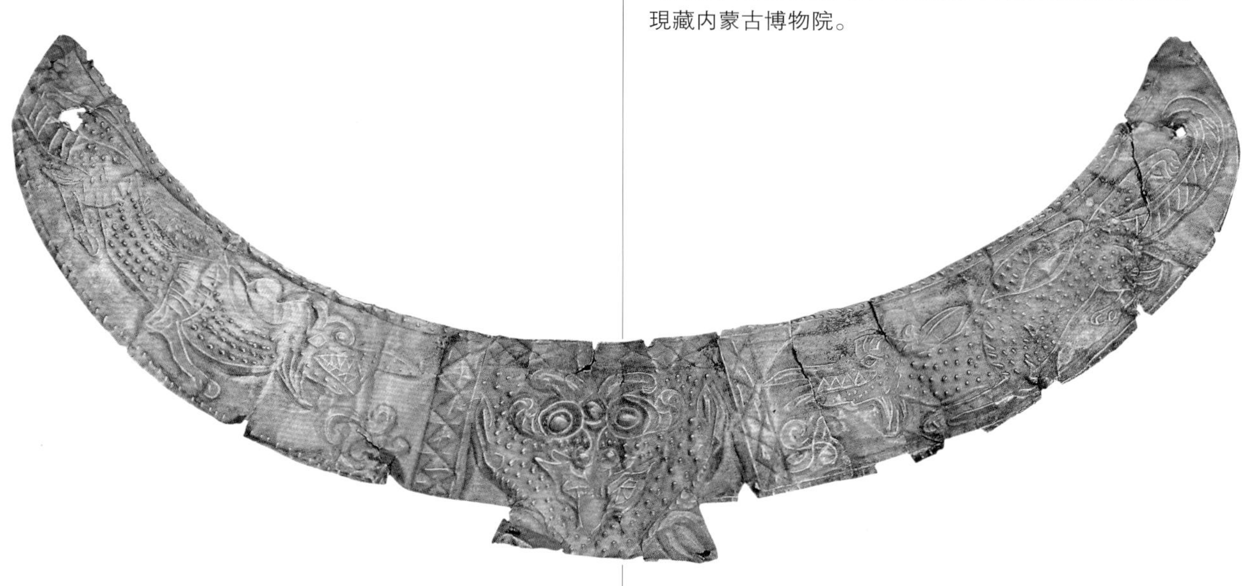

摩羯紋鎏金銀盆

唐
内蒙古鄂爾多斯市出土。
高9.5、口徑36厘米。
盆呈三瓣形，内沿鏨刻一周花卉紋，内心海水爲地，上飾摩羯戲珠紋。内壁飾雙鴛鴦銜綬帶紋和雙飛雁紋。
現藏内蒙古自治區鄂爾多斯博物館。

銀龍飾

唐
内蒙古烏蘭察布市徵集。
長120厘米。
銀鏈兩頭爲龍首，鏈身爲龍身，龍首雙眼圓睁，口大張，有雙角。鏈身連接銀飾片等物。
現藏内蒙古自治區烏蘭察布市博物館。

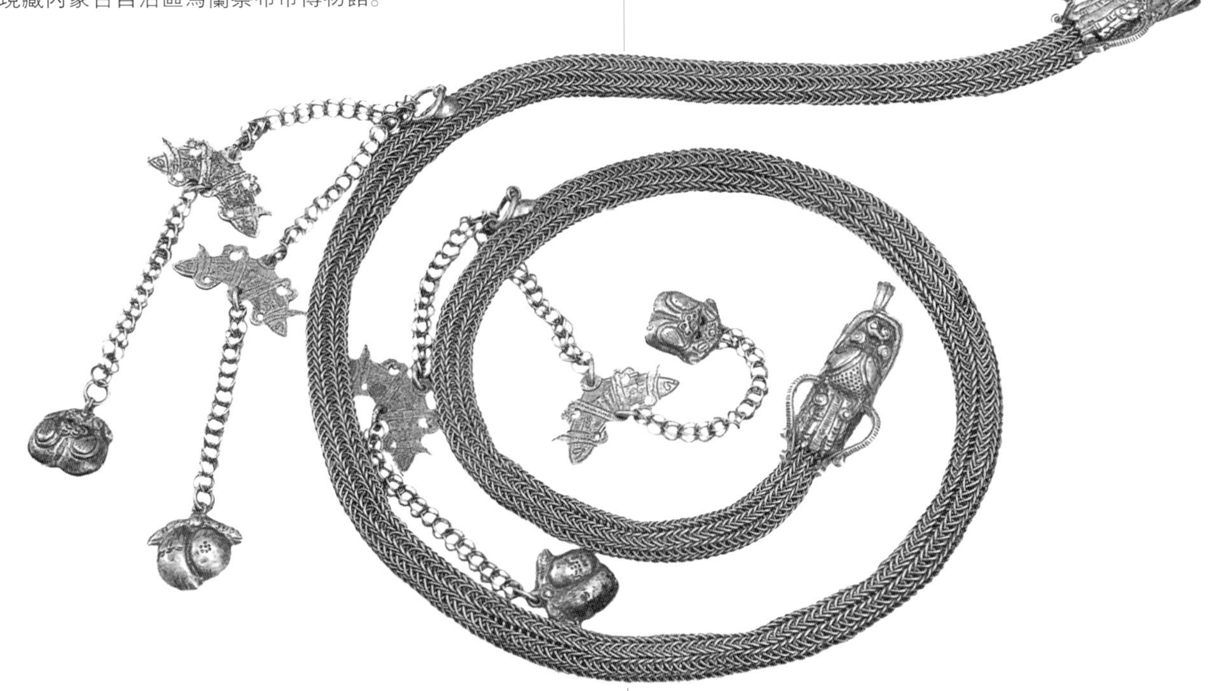

狩獵紋金蹀躞帶

唐

内蒙古蘇尼特右旗布圖木吉出土。

此帶飾皆爲黄金鑄造，并附佩刀二把。金飾上紋飾反映了突厥族的草原狩獵生活。

現藏内蒙古博物院。

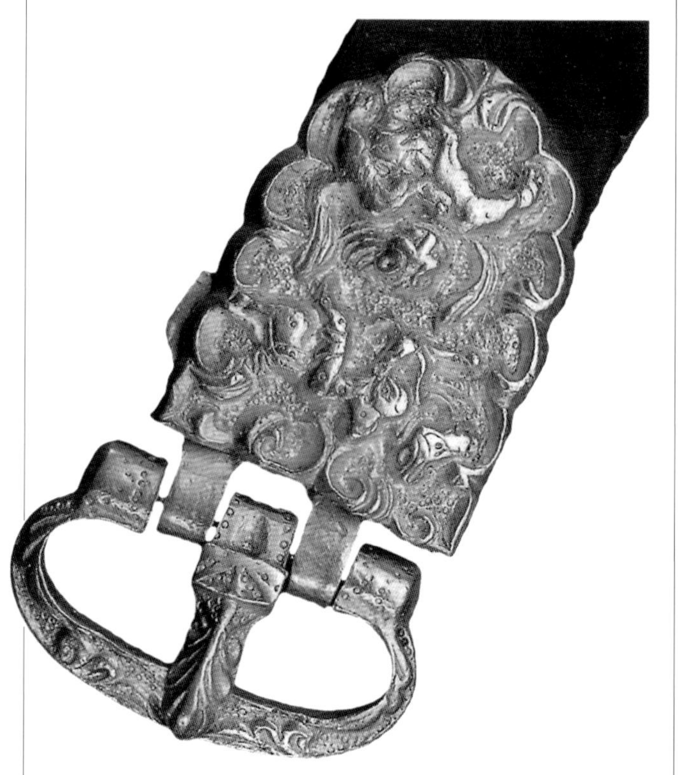

狩獵紋金蹀躞帶局部之一

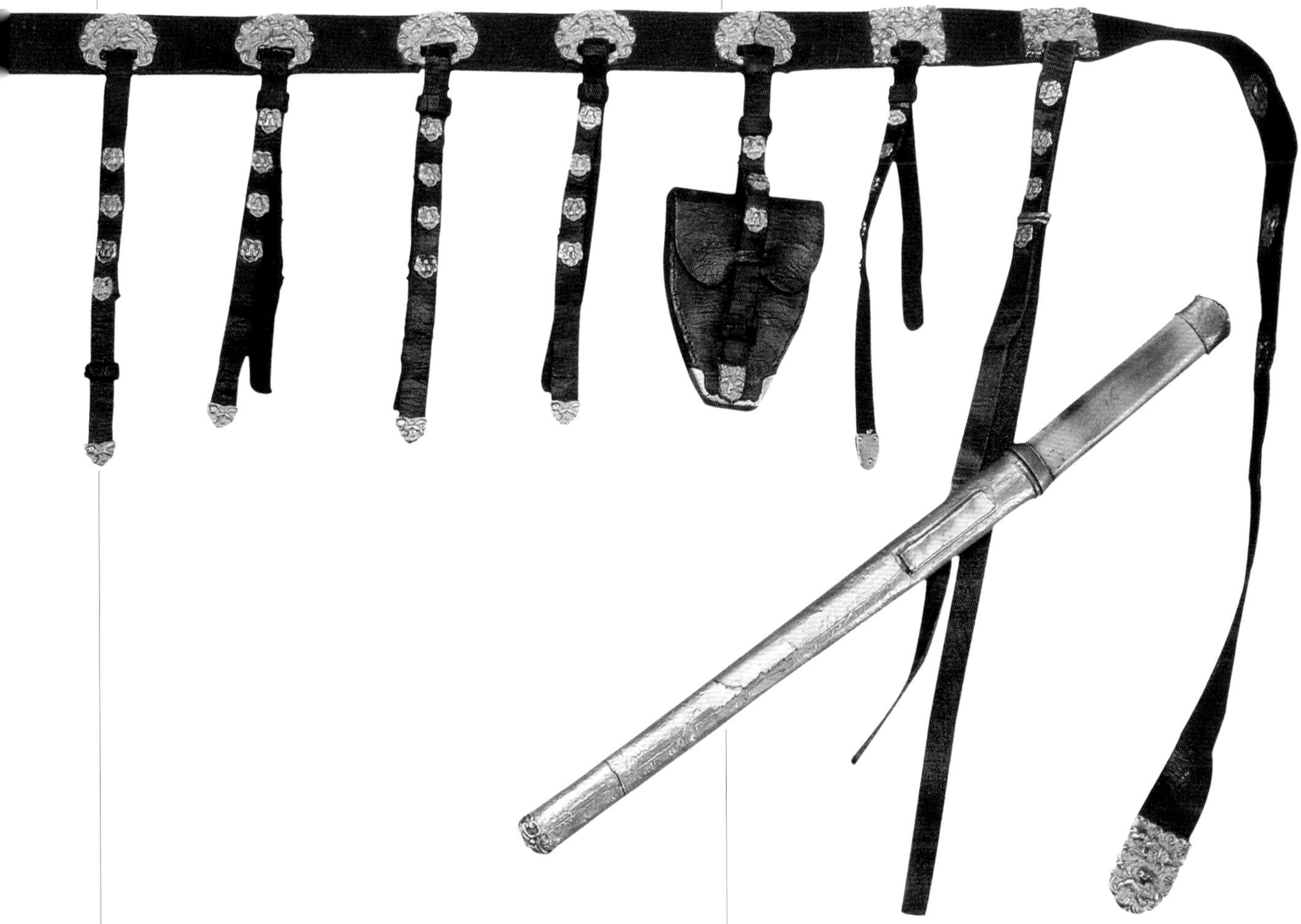

狩獵紋金蹀躞帶局部之二

金帶飾

唐

吉林和龍市八家子2號墓出土。

帶扣長2.5、方銙長3、鉈尾長4.8厘米。

金帶飾由帶扣、方銙、鉈尾這三部分構成。其上鑲五百顆金珠，并嵌以水晶和緑松石。

現藏吉林省博物院。

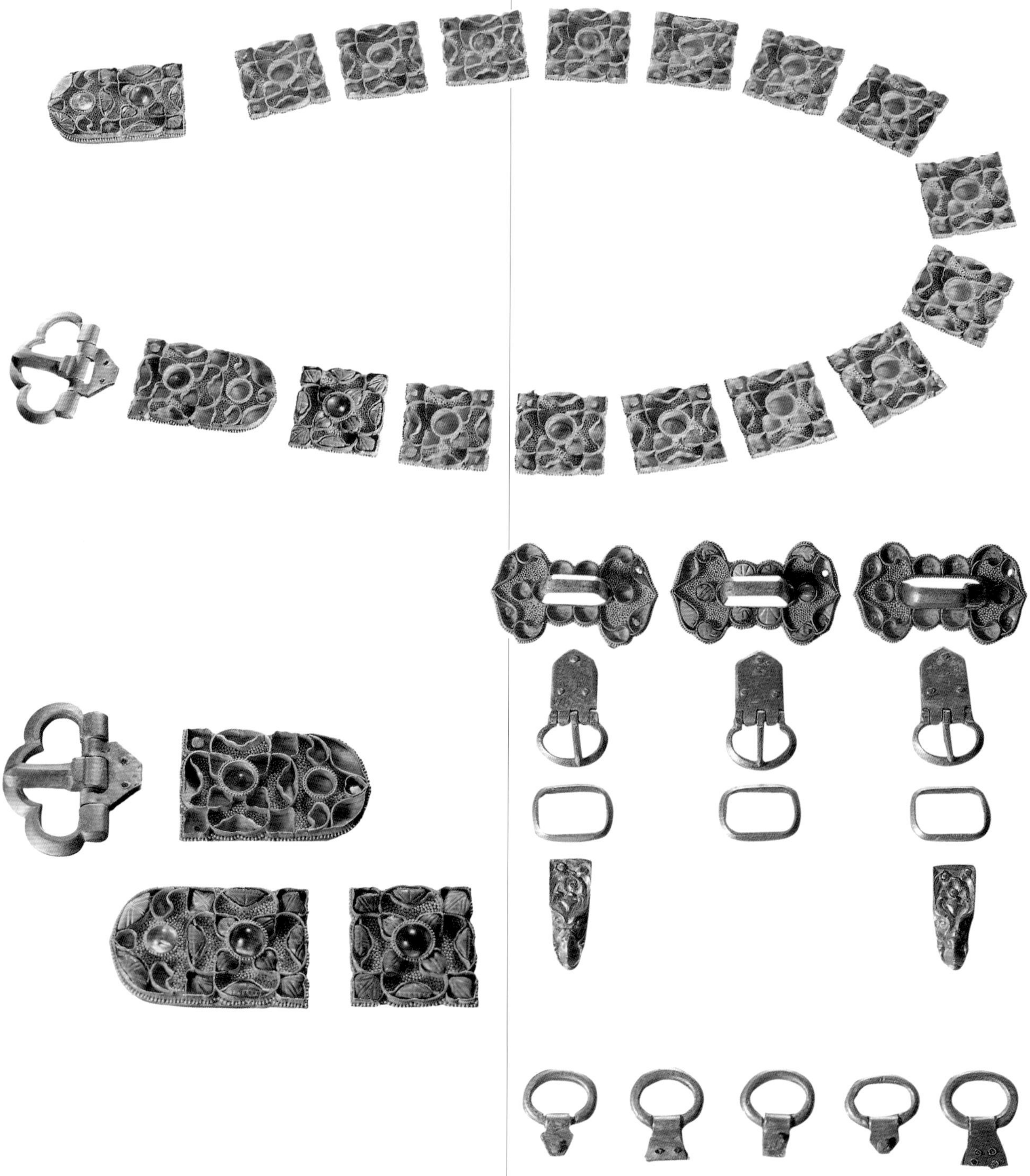

鎏金鸚鵡紋銀盒

唐

江蘇鎮江市丹徒區丁卯橋唐代窖藏出土。

高8.5、腹徑11、足徑9.2厘米。

盒爲圓形，蓋頂隆起。蓋面正中在魚子紋地上錘出一對鸚鵡和纏枝花，周圍飾花瓣紋。頂部斜面飾一周纏枝花和飛鳥，也以魚子紋作地。蓋及盒身側面各在魚子紋地上刻交錯菱形紋。圈足外緣刻一周花瓣紋。

現藏江蘇省鎮江博物館。

鎏金鸚鵡紋銀盒頂面

四魚紋菱形銀盒

唐

江蘇鎮江市丹徒區丁卯橋唐代窖藏出土。

高5.4、長7.5厘米。

盒蓋爲向上翻捲的蓮葉狀，上飾四條游魚，盒身飾菱形方格紋，蓋與身有子母口相連。

現藏江蘇省鎮江博物館。

蝴蝶紋菱形銀盒

唐

江蘇鎮江市丹徒區丁卯橋唐代窖藏出土。

高5.2、長8.8厘米。

盒蓋上飾一展翅飛翔的蝴蝶，盒身飾菱形方格紋，橢圓形圈足。

現藏江蘇省鎮江博物館。

鎏金人物紋銀小瓶

唐

江蘇鎮江市丹徒區丁卯橋唐代窖藏出土。

高7、口徑3.8、腹徑6.6厘米。

頸部自上而下刻聯珠紋、折帶紋及蔓草紋，腹部有三個開光，分飾童子舞樂圖、童子對坐圖和成人説唱圖。瓶外底刻十二重瓣蓮一朵。這種嬰戲的題材，在唐代十分少見。

現藏江蘇省鎮江博物館。

鎏金雙鸞戲珠紋菱形銀盤

唐

江蘇鎮江市丹徒區丁卯橋唐代窖藏出土。

高4.8、長21、寬15.3厘米。

錘鍱成型。淺腹、平底、矮圈足。内底刻鸞鳥一對，繞火焰寶珠相向飛行。

現藏江蘇省鎮江博物館。

鎏金半球形銀器蓋

唐

江蘇鎮江市丹徒區丁卯橋唐代窖藏出土。

高8.4、直徑14.3厘米。

蓋頂部有瓜蔓狀提手，蓋體飾四組折枝花紋。

現藏江蘇省鎮江博物館。

荷葉形銀器蓋

唐

江蘇鎮江市丹徒區丁卯橋唐代窖藏出土。

高4、口徑25.6厘米。

整個器蓋做成荷葉形，蓋鈕爲捲曲的葉莖狀，葉脈刻劃清晰，葉片下焊接五條小魚做爲子口。

現藏江蘇省鎮江博物館。

荷葉形銀器蓋底面

鎏金論語玉燭銀酒令具

唐

江蘇鎮江市丹徒區丁卯橋唐代窖藏出土。

通高34.2、筒深22、龜長24.6厘米。

筒身鏨刻纏枝花鳥及龍鳳紋，并鐫“論語玉燭”四字。由同出的酒令籌可知，此筒爲酒令籌的盛器。

現藏江蘇省鎮江博物館。

金棺銀椁

唐

江蘇鎮江市北固山甘露寺鐵塔塔基出土。

金棺高2.8、長6.4、寬1.9厘米，銀椁高4.9、長11.5、寬4.3厘米。

此金棺銀椁原置于長干寺，爲放置佛舍利之容器。采用錘鍱法製成，通體鏨刻紋飾，主題紋飾爲迦陵頻伽。現藏江蘇省鎮江博物館。

銀函

唐

江蘇鎮江市北固山甘露寺鐵塔塔基出土。

高12.4厘米。

此函原置于禪衆寺，爲舍利容器。函正面飾門扉，函兩側飾迦陵頻伽，頂部飾仙鶴。

現藏江蘇省鎮江博物館。

金鏨花櫛

唐

江蘇揚州市三元路唐代窖藏出土。

高12.5、寬14.5厘米。

櫛面用薄金片錘鍱鏤刻而成，上飾飛天及梅花、聯珠等圖案，下部剪製成梳齒狀。

現藏江蘇省鎮江博物館。

龍獅紋四足銀蓋罐

唐

浙江臨安市唐水邱氏墓出土。

高14.2厘米。

蓋與器肩前後鉚焊有鉸鏈、搭襻，可以落鎖。器身上下飾捲雲紋和蓮瓣紋，四面柿狀開光内分飾獅虎和雜耍百戲等圖案。罐側通四足處有竪條各一，上有捲草紋裝飾。

現藏浙江省臨安市文物館。

高足銀杯

唐

浙江臨安市唐水邱氏墓出土。

高9.7、口徑8.5厘米。

斂口，鼓腹，高圈足。杯壁以魚子紋爲地，鏨纏枝牡丹與渦紋。圈足上的紋飾爲荷葉紋上鏨五隻展翅的鴛鴦。

現藏浙江省臨安市文物館。

五色塔模型舍利盒

南詔

雲南大理市崇聖寺三塔千尋塔塔頂發現。

通高19、底徑12.3厘米。

由四層盒罩和底座組成。第一層罩爲鐵質，第二層塔式盒蓋爲銅質鎏金，第三層罩爲素面銀質，第四層罩爲素面金質。內置兩顆水晶球。

現藏雲南省博物館。

金藤織

南詔

雲南大理市崇聖寺三塔千尋塔塔頂發現。

均高6.2、厚0.8厘米。

共二件。用金絲編成，紋飾由内而外分成四重，依次爲團花紋、聯珠紋、如意雲紋及“人”字形辮紋，缺口處由一飾如意紋的薄片相連，中間鑲五朵金花。

現藏雲南省博物館。

四蝶銀步摇

五代十國・南唐
安徽合肥市原農學院南唐湯氏墓出土。
通高19、寬9厘米。
上部用銀片和銀絲作成四支蝴蝶戲花形。
現藏安徽省博物館。

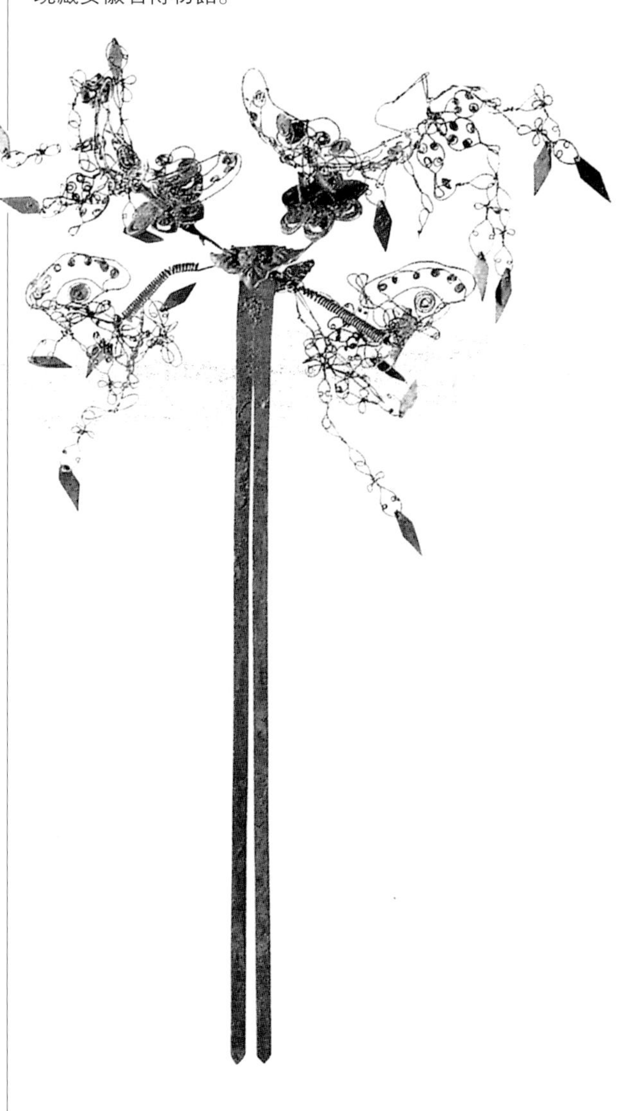

銀鑲玉步摇

五代十國・南唐
安徽合肥市原農學院南唐湯氏墓出土。
通高21、寬14厘米。
上部兩片銀花瓣中間鑲嵌白玉，下部各懸一銀絲折枝花。
現藏安徽省博物館。

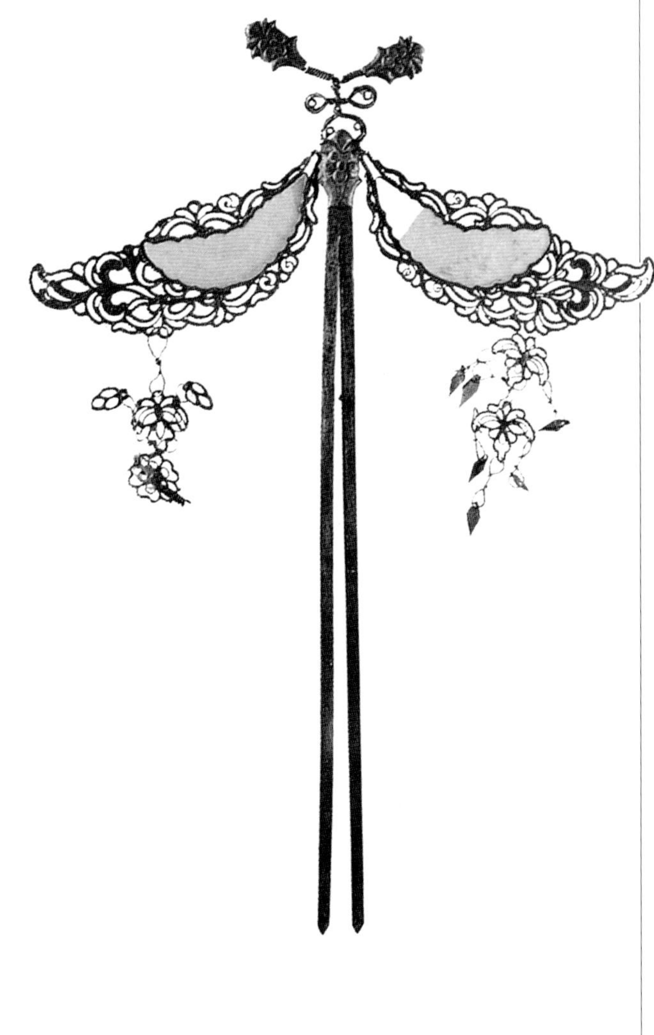